35 明代
西元 1368～1643 年

［注音本］

全新 吳姐姐講歷史故事

吳涵碧◎著

目錄

【第743篇】

交趾(越南)的農耕示範隊。

從鄭和開始，中國的航海事業，才眞正有計畫的開展。它的目的，不在武力征服異域，也不是從事經濟上的剝削，更不是武裝移民。除了尋訪惠帝下落以外，它是一支眞正的和平十字軍，一方面宣揚文化，一方面維護保障整個東南亞地區的和平秩序。

爲求達到保障和平的目的，鄭和雖然是擔任巡迴外交特使，同時他也統率海軍隨行，他歷次所率領的訪問團中，人數最多時，超過兩萬七千多名，最少時也在五千人之上。在鄭和的隨行人員之中，最著名的是費信與馬歡，分別著有《星槎勝覽》與《瀛涯勝覽》二書，都是研究鄭和重要的資料。

鄭和的航行共有七次，大多自福建起航，經南中國海，至中南半島南端，轉暹羅東岸，南下新加坡，繞蘇門答臘、爪哇，再西行至孟加拉灣，經安達曼群島，赴印度，繞錫蘭，沿阿拉伯海經紅海至麥加，然後經北非回航。

以下我們分地區介紹鄭和航行途中，所發生的一些有趣故事。

鄭和的第一站，通常都是交趾，交趾在明初稱爲安南，永樂五年改稱交趾，英宗正統元年又改爲安南，也就是現在的越南。

越南與中國最早的接觸，通常以周成王六年越裳氏來朝爲準。

據說，當時越裳國中德高望重的耆老認爲『最近風調雨順，久無烈風雷雨，想必是中國出了聖人。』

於是，派遣使者，帶著白雉向成王朝貢，周成王要使者帶著禮物去見周公，周公很高興，客氣地說：『這都是先王之神德所賜。』

這段記載，出自後漢書。

在鄭和下西洋之時，交趾還有一個名稱，那就是占城。交趾爲何稱爲交趾，有兩個說法，一說是當地人睡覺之時，頭外向，足在內而相交，還有一種說法是新郎新娘結婚同床，脚趾並在一塊兒。

根據費信在《星槎勝覽》中的記載：永樂七年十二月，鄭和於福建五虎門出洋，張十二帆，順風十晝夜到達交趾。

交趾國王聽說鄭和船隊到達來，興奮得不得了。這個國王打扮得土裡土氣，他頭上戴著三山金冠長，身上披著五花六色的錦花長袍，足穿玳瑁，腰束八寶方帶。尤其令人矚目的是，國王兩手兩腳，都戴著黃澄澄的金鐲子，在陽光下閃閃發光。

國王騎在象上，率領五百勇士，眉開眼笑前來迎接，排成一列長隊，威風極了。

鄭和緩緩步出，在大船上，清一清嗓子，大聲發號施令，率領五百人排成一列長隊，新做的制服簇新整齊。

接著，鄭和領頭，沿著紅色地毯，不疾不徐走上禮壇，代表明成祖宣讀聖旨，交趾國王神情肅穆，跪在地上聽旨，原來當時交趾通行中國文字，雖然腔調有些不同，還是能夠聽懂。

交趾國王一身金光閃爍，交趾民衆卻是一片白衣白衫，原來當地人民尚白，白色是正統禮服的顏色，一直到今天，越南人民還是喜歡白色，我們在美國人拍的越戰影片之中，常可見到身著白衣的越南人民。

典禮完畢之後，一群青春嬌艷的交趾美女，頭頂禮盒，匍匐下跪，禮盒裡盛放當地特產：椰子、檸檬、玉桂、檳榔。

鄭和笑嘻嘻地接下了土產，接著，他一揮手，幾名壯士抬來絲綢、瓷器、茶葉、銅器，甚且還有耕田工具，場面浩大，氣派不凡。交趾國王及人民眼睛都看花了，嘖嘖稱奇，連連讚歎：『不愧爲上國大手筆。』

交趾國王爲要表示當地亦有文風，竟然排出大隊文士，身著上黑下白標準明服式樣，向鄭和請安，鄭和大樂。

交趾美女熱情大方，主動向前，挽著將士們的手飲酒作樂，鄭和也挺通人情，准許大夥開懷享樂。

交趾人民喝酒不用酒杯，而是直接用竹管插入酒罎之中啜吸。於是，美女伴著將士，三三兩兩，各自手執竹管，邊談邊笑邊飲酒，個個都樂不可支！

鄭和在將士們玩樂之後，馬上交代任務：

第一件事，就是教導交趾人民農事。交趾氣候溫濕，終年不見霜雪，屬於亞熱帶氣候，不論梅、橘、甘蔗、香蕉、椰子，都長得特別好，交趾也種稻，米粒細長，不過，一年只一熟。

鄭和的農耕示範隊可不一樣，他們教導交趾人民開闢梯田，汲取井水，採用插秧長大之後予以分植的方法，一年可達三熟。鄭和對交趾農民說：『中國字的「富」就是下面有個田，意思是有田就能帶來富有，你們好好學習，以後這片田就能爲你們帶來大批財富。』

鄭和的預言成眞，一直到今天，越南都是世界著名的產米國家。

鄭和在越南建立了魚米之鄉，他又幫助當地成爲中醫藥材的重要產地。

當地盛產犀牛，犀牛鼻骨中有由纖維性角蛋白構成的角，強而有力，是犀牛作戰的工具，把犀牛鼻角研磨成粉，具有降火退熱的功能，是一味名貴的中藥。

鄭和到了原始森林，指著地下隨處可見的犀牛鼻角道：『這些都是黃金哪。』

交趾人民不曉犀牛角的可貴，鄭和大可以騙到底，但是，鄭和非但好心告訴他們，犀牛角的效用，並且協助當地人種植中藥藥材。

從此，交趾出產的中國藥材，不但合於『道』(古代不用經緯，而用道)，又合於地，眞正是道地良藥。

鄭和的德澤，對越南人民而言，一直綿延至今。

閱讀心得

【第744篇】

鄭和生擒陳祖義。

鄭和在交趾，人到哪兒，轟動到那兒。他也的的確確傾囊相授。據說，越南人今天流行食用豆腐，也是當年鄭和船艦上大師傅傳授的絕活。中國美食文化，深深地影響東南亞一帶。

位於交趾旁邊的暹羅（泰國人），早已風聞鄭和的點點滴滴；一心巴望三保太監也能前往暹羅。他們這種心情，倒是很像孟子梁惠王篇所形容的『簞食壺漿以迎王師』（用竹器裝著食物，水壺盛著米漿迎接齊人的軍隊）。

二十多年前的『美國地理雜誌』，曾經刊載過一幅『鄭和入暹羅圖』，可神氣著呢！暹羅國王與王子騎在大象身上開道，鄭和的座駕由八名赤足彪形大漢抬行。上有羅傘張蓋，彷彿是個土皇帝。

相傳古代暹羅分爲暹與羅斛兩國，後合爲暹羅，在鄭和抵達之時，有一些明朝的盜匪正在暹羅附近流竄。盜匪心想，鄭和的寶船之上，一定攜帶大量寶貝，官員多半都是顢頇無用的，不如前去搶劫一番。

於是，一個名叫陳祖義的土匪頭目便拍著胸脯說：『常言道，美不美，鄉中水，親不親，故鄉人，我是中原廣東人，我去詐降，三保太監一定會上當。』

陳祖義拜見鄭和，獻上投降書、降表，還遞上一張進貢草單，包括：

『神鹿一對、鶴頂鳥一對、火雞一對、珊瑚樹一對，薔薇水二罈、金銀香二箱。』

雖說是詐降，陳祖義這人，強盜當久了，滿臉橫肉，一雙賊眼到處亂瞟，就想要動手搶的模樣，鄭和看在眼裡，眞是又好氣又好笑。

陳祖義自認爲已摸清門路，當下指揮一幫土匪前來攻擊。鄭和早有準備，他一揮手，火炮、火箭、火彈齊飛，一起落到陳祖義的船隊中，由於船中載滿了火藥，所以，火箭一射，開始猛烈地燃燒起來。

陳祖義一看苗頭不對，潛逃上岸，正想撥馬逃命。鄭和早料到他有此一著，派了人在等，於是，手到擒來。

鄭和見了陳祖義，心中十分惱怒，他喝斥道：『我們在這兒宣揚大明國威，你卻在此丟盡國家的顏面，竟然還想劫寶船，眞是好大的膽子。』鄭和在暹羅漂漂亮亮露了一手。

這場戰役，鄭和殺匪黨五千餘人，陳祖義等三名首領，斬首示衆。鄭和在暹羅漂漂亮亮露了一手。

隨鄭和出海的馬歡，後來在《瀛涯勝覽》中記載，當時的暹羅，『外山崎嶇，內地潮溼，土地貧瘠，甚少耕種。』鄭和到達以後，教導當地居民，開闢山坡，成爲梯田。暹羅氣候，適於種稻，日後的暹羅，成爲世界重要的稻米出產地。

鄭和並且教導暹羅人民製造海鹽。在此之前，暹羅人都是食用岩鹽。岩鹽缺乏碘質，容易罹患甲狀腺腫，所以，暹羅不少民衆都長了一個大脖子。

暹羅的海岸線極長，正適合製造海鹽，鹽且是最佳的清潔劑、解毒劑，特別是暹羅氣候炎熱，容易生流火丹毒，皮膚發炎。自從鄭和授以製鹽之法，暹羅人民身受其惠。

馬歡還記載了當時暹羅一些有趣的事，暹羅人當和尚當尼姑都很多，僧尼穿的服裝與中國人相同。上至國王，下至一般平民百姓，到了成年以後，都要到廟裡當一段時間的和尚尼姑，不過，由於女權高張，女子不一定非當尼姑不可。

馬歡並且記述，暹羅婦人志氣度量都遠勝於男子，家中之事不論大小都由女子掌權。如果妻子被中國男子看上，暹羅男子非但不以爲怪，反而得意洋洋道：『我的妻子果然漂亮，難怪中國男子會喜歡。』並且端出上好的酒菜，招待中國男子。

馬歡記載的只是當時他所見到一部份情形，不能代表普遍現象，尤其不能誤以爲今天泰國還是如此，到底那是十五世紀暹羅未開化之前的情形。

《瀛涯勝覽》之中也提到暹羅人的結婚禮俗，如果雙方答應成親，先由和尚伴同新郎到女方家成親，洞房三天之後，再請和尚把檳榔等禮物分贈親友，迎接夫婦回到男方家中，擺酒待客。

至於葬禮，若是富貴人家，用水銀灌滿肚皮，然後下葬。

一般低賤平民死了以後，家人把屍體抬到郊外的沙灘，自有空中飛翔的金色大鳥，成群結隊撲下來啄食死屍，不一會兒工夫，只剩下一堆屍骨。

家人把屍骨丟到海中，稱之爲鳥葬。在中國邊疆地區，也有類似的風俗習慣。

暹羅人受中國人的影響，認爲國王就是龍，因此，國王穿的長袍，稱爲龍袍；國王坐的船隻，稱爲龍船。龍船亦仿效中國，雕刻成一條龍的形狀，金光閃閃，划船的船夫一律著紅色衣服，國王每年坐著龍船，四處巡視，十分威風。

暹羅人黑乾瘦小，好勇鬥狠，喜歡練拳，尤其擅長腿功，又快又猛，變化萬千。許多武俠電影之中都有暹羅高手表演跆拳。厲害的跆拳，飛毛腿一踢，數十片瓦同聲而碎。

據說，跆拳屬於中國武術的一種，在鄭和時傳入，暹羅人愛不釋『腿』，不但人人喜歡，同時暹羅每一所廟宇之中，都刻有表演腿功的石刻，稱之爲跆拳石，也是十分有趣的景物。

閱讀心得

【第745篇】

暹羅米和紅頭船。

鄭和在暹羅，教導當地居民曬鹽、製陶、開井、織漁網。同時，他也在暹羅，帶回不少寶物回中國。

例如暹羅森林裡有許多兇猛的老虎，正是製作虎骨木瓜酒的好材料，對於治療風濕，功效卓著。鄭和帶領士兵，射殺老虎，取下虎皮虎骨，帶回中國，並且也為暹羅奠定了中醫的基礎，一直到今天，泰國人仍然非常相信中醫，市面上也到處看得到中藥。

暹羅大片原始林之中，更有極其珍貴的紫檀木，一稱紅木。紅木又名樹膠胺樹，桃金孃科，胺樹屬，喬木，莖深紅色，小枝有角稜，嫩葉帶赤紅色，花六到十二朵，成繖形花序。

鄭和因爲船舵需要上好木材，一見紅木，色紅帶紫，堅硬異常，樂不可支。紅木因爲材質好，重量也非比尋常難以搬運。聰明的鄭和立刻想到大象，經過訓練的大象，能夠輕鬆地馱起紅木，乖乖地排成一隊，魚貫走出森林。然後，象鼻子一捲一拋，把木材丟入河中，紅木便隨著河水，順流而下。

鄭和跟暹羅國王商量：『我們用黃金來交換木材可好？』

暹羅國王大喜過望：『這眞是再好不過了。』

由於紅木色澤高雅、堅固耐用，傳到中國以後，成爲中國人最欣賞的木料。舉凡家具、桌椅、書桌、床匠，若是用紅木製成，代表一份尊貴，且成爲傳家之寶，富豪之家，無不用紅木爲家具。一直到今天，紅木家具仍然是家具中的翹楚，當然，售價也居高不下，讓人咋舌。

暹羅用紅木換黃金，換來的黃金首先用在佛寺，今日赴泰國觀光遊客，常會發現許多佛像，全身都用黃金打造，富貴人家，也往往在牆壁上貼金箔，到處金光耀眼，想不到泰國人尚金，與鄭和也有關係。

由於鄭和功在暹羅，因此，暹羅人在暹羅建了不少三保公廟，另有兩座正廟，一在舊都大城，一在曼谷對岸網鑾地方，廟宇宏敞，神像莊嚴，尤其是一座臥像，比其他神像大好幾倍，可見鄭和的分量之重。

由於鄭和已經被神化，所以，暹羅的水上人家，多採用『鄭和缸』來貯存清水。所謂『鄭和缸』非瓦非陶亦非瓷，而是一種黃黃黑黑的泥巴，再摻少許釉質製作而成，據說是鄭和教當地人民製作的，當地人相信，用鄭和缸貯清水，乾淨清澈。一直到今天，泰國的水上人家，仍然使用鄭和缸。

鄭和缸的水何時注入，亦有一番講究。每年九月十日，中國雲南洪水傾洩而來，此時，江河皆漲，水味清淡，尤其以十月十五日爲最佳，人稱爲『聖日』，都說：『每年十月十五日，三保公（鄭和）一定在湄南河下藥，若在這一天貯水，則清水可以久藏不壞。』因此，家家戶戶，在十月十五日夜晚，必定汲水貯存之，成爲一種習尚。

凡是去過泰國水上市場的觀光客都知道，由於水上人家吃喝拉撒都在水中，水要保持清潔，實在不是一件容易的事，即使有鄭和在天之靈庇佑，恐怕也只能求取心理安慰罷了。

根據《瀛涯勝覽》與《星槎勝覽》二書所記載，當時中國自暹羅輸入的貨品計有：黃連香、羅褐連香、降眞香、沈香、花梨木、白荳蔻、大風子、血竭、藤結、蘇木、花錫、象牙、翠毛、白象、獅子、貓、白鼠、羅斛香、犀角、象牙、葽蠟。

至於中國輸往暹羅的，則包括：青白花瓷器、印花布、色絹、段疋、金銀銅錢、燒珠、水銀、雨傘。

這些東西名稱都很有趣，其中暹羅貓，眼睛如湖水般湛藍，炯炯有神，宛若寶石，很早就成爲中國家庭的寵物。

自從鄭和到暹羅之後，中國與暹羅的關係一直保持密切，就是在十七、十八世紀，華人對南洋一帶少有所聞之時，中國與暹羅依然往來頻繁。

十八世紀，歐洲人被迫離開暹羅，暹羅國王柏巴寒通當權，他認爲華僑是最爲熟練的水手，只有他們可以到達中國各個港口，他讚許華人『是公認最好的經紀商、貿易商和水手』，因此，他願意給予華人種種商業的特權。

一七二〇年，暹羅華人以廉價的暹羅米，取得中國的市場。自康熙末年，經雍正到乾隆，暹羅米一直供應中國市場的需要。尤其在華南地區饑荒之時，康熙曾言：『暹羅國米甚豐裕，銀二華錢，可買稻米一石。』

此外，暹羅王也把其他天然資源讓華人掌理，例如木材，華人蓬蓬勃勃建立了造船工業，他們造的都是中國式的船。外國人稱之爲『紅頭船』，在一八二〇年以前，幾乎暹羅的貿易都由中國式的大紅船包辦，從二十噸到三百噸都有，完全控制了暹羅的海岸。這些紅頭船，有的是國王或貴族所有，有的是潮州人所有，卻都由潮州人駕駛。

無論是暹羅米也罷，紅頭船也罷，追本溯源，不能不感謝鄭和，這是鄭和的光榮，也是中國人的光榮。

閱讀心得

【第746篇】榴槤、三保井、三保公魚。

鄭和離開暹羅以後，來到滿剌加（今馬來亞），我們先介紹幾則流傳在麻六甲城一帶好玩的故事：

——先說榴槤，榴槤是盛產於南洋一帶的水果，凡是赴南洋觀光者，總要嘗嘗看，初試者往往受不了那股惡臭，就像腐敗的牛肉，敲開外殼，其味卻似冰淇淋一般綿細可口。馬來半島有句俚語『當了褲子，也要吃榴槤。』可見，在他們心目之中，榴槤地位之一斑。

當地流傳一則不雅的故事，榴槤原先是香的，有次鄭和在榴槤樹下拉了大便，從此榴槤就變臭啦，這當然是無稽之談。不過，當地人連吃水果，都想到鄭和，簡直是把鄭和當神仙了。

——麻六甲一帶盛產類似比目魚的魚，一邊顏色深，一邊顏色淺，傳說這是魚兒躍到鄭和甲板上，沾了船上的灰塵，從此變成陰陽對比的魚。

——另有一魚，也是躍到甲板上，鄭和抓起魚，起了愛生意念，把魚又放回水中。這條魚身上有了鄭和五個手指的印子，當地人稱之爲三保公魚。三保公魚是麻六甲一帶最膾炙人口的鮮魚。

——在檳榔嶼（位於馬來半島東岸，是馬來西亞最大港及工業城）海邊，有一凹下處，當地人常以香燭膜拜，據說，這是鄭和上岸時留下的脚

印，相當靈驗。

——麻六甲最有名的是『三保聖井』，井的範圍極大，居民們認爲，井裏的水是聖水，可以延年益壽，促進健康。

三保聖井旁邊且有大石，石上有鄭和的足跡，同樣受人膜拜。當然，三保井、三保石都不止一處。

——三保公廟則是最著名的鄭和遺跡，廟中的碑文尊鄭和爲『護城之神』。由於十分靈驗，不僅當地人膜拜，觀光客燒香，就是生了病的，也來此求取『仙方』，廟中的井邊，有一段文字記載：『十五世紀初，明朝永樂皇帝派三保太監鄭和下西洋，一連七次，鄭和把麻六甲作爲遠征根據地，建造倉庫，駐兵留守，艦隊在此聚散。他駐軍的地點，據說就在此山之下，所以，華人稱他爲三保山，山下有井，相傳爲鄭和所鑿，迄今仍存。』

從以上的點點滴滴，可知在麻六甲，鄭和可是絕不簡單的人物。

我們來看一看滿剌加的歷史：

在明朝初年之時，滿剌加還是一片蠻荒地帶，當地的土人稱爲巫人，又稱爲馬來人，完全沒有開化。男子頭上包著方帕遮暑，女子則把頭髮編成一個一個小結，他們的皮膚是暗褐色。因爲天氣炎熱，大夥都是懶洋洋的，反正天然長成的甘蔗、西瓜、香蕉、波羅蜜不少，餓了就隨手摘來吃，累了就躺在類似牛棚的簡陋房舍之中，偶爾捕魚打鳥，倒也悠閒自在。

造物者是很神奇的，由於滿剌加氣候濕熱，居民容易上火，當地盛產清涼退火的椰子。只見土人打著赤膊，懶洋洋地躲在椰子樹樹蔭下，一面納涼，一面敲破椰子殼，吸取椰汁。

天氣實在太熱了，夏日炎炎正好眠，誰願意多工作呢？又有什麼工作可做呢？

勤奮的鄭和，帶領勤奮的中國人，爲滿剌加帶來新希望，開拓新局面。在鄭和未到之前，滿剌加是很可憐的，飽受暹羅欺負，暹羅老大哥對滿剌加態度蠻橫，要收『保護費』。不過，滿剌加實在太窮，榨不出油水，一年只繳四十兩黃金意思意思。

滿剌加被暹羅欺負，其中還有一段歷史：原來蘇丹愛上了滿者伯夷王室的公主，並且娶了公主，捲入王朝之爭。他逃到今天的新加坡（當時稱爲單馬錫），殺了當地將領，統治新加坡，不過，並沒有像童話故事形容的：

『從此與公主過著幸福愉快的生活。』

當時新加坡是暹羅保護之下，暹羅王大怒，蘇丹夾著尾巴，逃到馬來半島小漁村，接受暹羅的宰制。

鄭和初抵滿剌加，馬上發現這個地方，地勢實在太險要了，地扼麻六甲海峽，位於馬來半島與蘇門答臘之間，可以成為太平洋與印度洋的樞紐。

於是，鄭和試探地請問滿剌加的蘇丹：『可否借用貴寶地為基地？』

蘇丹巴不得可用明朝力量對抗暹羅，立刻滿懷欣喜地答應：『好啊，有何不可？』

從此以後，滿剌加便成為鄭和下西洋的基地，他七次下西洋，竟有六次經過滿剌加。

鄭加停駐麻六甲，還有一個最重要的原因——風向。

在船隻完全受風向支配的時代裏，當西風吹起時，船隻可以很容易地渡過印度洋；東北季風開始時，它可以向西回航。同樣地，來自遙遠中國的船隻，可以利用東北季風來到滿剌加，待西南風之時回到故鄉。

在等待西南風的這段日子裏，貨物必須在麻六甲卸下，保存數月，然後再回航，這也是鄭和必須駐留在麻六甲的理由。

永樂三年，鄭和代表明成祖，正式封蘇丹爲『滿剌加國王』，並且賜名爲『拜里迷蘇拉』，賜袍服、印帶，並且以黃傘爲統治標記。

自此以後，滿剌加與暹羅一般，平起平坐，不再受暹羅欺負，這也是滿剌加（馬來亞）建國的開始。

閱讀心得

【第747篇】

滿剌加(麻六甲)國王謁見明成祖。

永樂三年，鄭和代表明成祖，正式封滿剌加蘇丹爲國王，並且賜名爲『拜里迷蘇拉』。

拜里迷蘇拉好開心，從此脫離暹羅的魔掌，再也不怕被欺負了。他決心帶著心愛的王后，也就是當年歷盡艱險娶回的公主，一塊到中國去開開眼界，見識見識天朝上國的神威。

明成祖派鄭和下西洋，原因之一就是宣揚國威。現在番國國王既然親自來參觀，當然要好好招待，炫耀一番。

永樂九年，拜里迷蘇拉偕同王后、五百四十餘陪臣，浩浩蕩蕩前來，先抵南京，接待人員陪同參觀南京城。他等一行，看到南京城的巍峨壯觀，無不嘖嘖稱奇。

接待大員清一清喉嚨，透過舌人（翻譯員），向滿剌加一行誇耀：『咱們南京城，建於洪武二年，歷時四年，方才完工，東連紫金山，西據石頭城，南阻長干里，北帶玄武湖，城牆厚三丈之多，這個不算稀奇，稀奇的是，建築材料，用的是最好的花崗石，堆砌而成。然後，用糯米煮成稠漿，趁熱滾滾之時，趕緊黏合，一冷風乾，天生整體，用什麼方法也不能分離，等到城牆砌好，再用糯米羼石灰，塗遍整個牆面，風雨不侵，固若金

湯。』

拜里迷蘇拉聽得入神，他疑惑地問：『糯米不是用來吃的嗎？』

舌人回答：『正是，你說妙不妙？』

拜里迷蘇拉一行，個個舉起手，在城牆上東摸摸、西摸摸，感覺到城牆的厚實，露出驚奇的笑容。

接著，滿剌加國王繼續北上，到達北京城。明成祖得位以後，遷都北京。一來，北平是他的龍興之地，一直是他的地盤，有一份熟悉感，而且惠帝失蹤，下落成謎，他擔心南京附近，始終還有反對勢力蠢蠢欲動。所以，他要遷都北京。

二來，由於北京地勢險要，明朝的主要外患是北方的蒙古，明成祖故意把國都擺在靠近敵人的地方，正如同漢朝建都關中抵禦匈奴，同樣具有鞏固邊陲的國防意義，也代表大無畏的氣魄。明朝的北京城，也就是我們今天看到的北京城，因襲了元朝大都舊址，更爲壯闊雄偉。

拜里迷蘇拉如同劉姥姥進了大觀園，見什麼都新奇。成祖本是好大喜功之人，在番王面前，更要一顯大明朝的威儀，他吩咐禮部郎中黃裳，中官海壽：『務必殷勤接待，此乃懷柔遠人之道。』

爲了表現熱忱，明成祖特別在奉天殿親自設宴款待嘉賓，席間山珍海味，不在話下，拜里迷蘇拉等吃得眉開眼笑。

成祖接過了拜里迷蘇拉獻上的禮物，立刻恩賜寶物，狠狠把小國國王的土產給壓了下去，計有：金繡龍衣二襲、麒麟衣一襲、金器、銀器、帷幔……凡是妃嬪以下，個個有賞，皆大歡喜。

拜里迷蘇拉一行在京裡，痛痛快快玩幾天以後，臨走之時，成祖又在奉天門舉行大規模的國宴款待，再賜玉帶、儀仗、鞍馬、金鈔四十萬貫、錢二千六百貫、錦綺紗羅三百匹，想當初，滿剌加一年輸暹羅，也不過四十兩金子，兩相對照之下，滿剌加真是發了橫財。

中國與滿剌加交往，可以說是互蒙其利，滿剌加國王固然是歡喜異常，鄭和也覺得，有了滿剌加這個基地，方便不少。

根據馬歡的記載，中國寶船到達滿剌加，豎立排柵、城垣、鼓樓，到了晚上則拉鈴示警。

城牆之內，再設重柵、小城、龐大的倉庫，日夜有士兵嚴密地防守。每一次遠洋航行，艦隊在此會合，然後，分頭航行各地，任務完成之後，再在滿剌加集合，等候南風，於五月中旬順風回國。

由於鄭和停留在滿剌加的時間特別長，他與當地居民的感情也格外濃厚，協助當地開發與建設。

滿剌加人民原先住的是極其簡陋的草棚，用椰子樹劈成片條，擱幾匹破布，再用草藤固定，這就算床了。若是晚上下雨，則苦不堪言，尤其遇到夏天洪水暴漲時，往往下半身浸在爛泥裡，容易生病。

鄭和教滿剌加人民蓋簡單的房子：屋下用硬木做成四個脚，距離地面約一丈，以木梯上下，屋頂用茅草鋪成。從此無水淹之苦，無潮溼之弊。

當地人紛紛仿效，稱之為『鄭和屋』，東南亞一帶的鄉下，迄今仍可見到這種房舍。

鄭和也讓滿剌加人民，認識錫礦的可貴，產錫的山稱為錫場，工人把錫礦鑄成斗形的錫塊，每十塊用籐子綁在一起，作為買賣交易之用。

滿剌加還盛產鱷魚，鱷魚體長約三公尺，全身被覆鱗片及粗硬的表皮，生長在熱帶沼澤與河溪之中，性情兇殘，屬肉食性，能要人性命。

鄭和看到鱷魚，倒也不怕，他阻止當地人捕殺鱷魚，反而勸他們：『不妨築成池塘，大規模飼養鱷魚。』

『鱷魚會吃人的，養牠幹什麼？』

『鱷魚的皮是寶貝，大有用途也。』鄭和解釋道。

一直到今天，鱷魚皮箱、皮帶都是最珍貴的皮件，也是南洋地區出口的大宗。

有人說，若要幫助朋友，送他一尾魚，不如教他捕魚的方法。鄭和就是如此，他讓麻六甲一帶人民，懂得捉魚的方法，認識他們擁有的天然資源，無怪乎鄭和的故事，在麻六甲一帶，代代相傳，綿延不絕。

閱讀心得

【第748篇】

鄭和的大廚師。

除了滿剌加以外，鄭和到過最多的地方，應該算是爪哇了。爪哇是一個島，與婆羅洲、新幾內亞、西里伯與蘇門答臘同屬於印尼。

我們先說一個流行在爪哇島的小故事：

由於鄭和本領高超，爪哇人把鄭和當作神，凡是鄭和說的話，他們一律無條件的相信。

有一回，不知道爲了什麼原因，鄭和鄭重其事告誡大家：『你們千萬要記住，在過新年前的一個月要挨餓，什麼都不許吃。這樣到了陰間以後，才會有飯吃。』

爪哇人用力的點點頭，表示『一定照辦』。

於是，他們開始挨餓，餓得前胸貼後背，想吃又不敢吃。

某天晚上，爪哇人偶然看見，鄭和竟然在大吃特吃，不免狐疑地問：『你自己怎麼偷吃東西？你不怕死後到陰間餓飯嗎？』

鄭和一下子被問住了，楞了一會兒，若無其事地回答：『白天當然不可以吃，晚上就沒關係了。』

土人都是頭腦簡單，也不會反問鄭和：『你怎麼不早一點告訴我們，害得大家都餓慘啦。』

這種習俗一直流傳到今天，許多爪哇人在過新年前一個月，白天禁食，晚上開伙，可見得鄭和威望之隆。

還有一件有趣的事，鄭和生年不可考，但是爪哇人卻以每年六月三十日爲鄭和的誕辰(可能是鄭和登陸爪哇的日子)，在三保壟及三保洞大大慶祝一番。並且還有舞龍舞獅的隊伍，沿街遊行，很是熱鬧，在華僑心目之中，鄭和簡直是護僑神。

鄭和在爪哇，因爲建樹多，當地華僑又多，因此，把鄭和駐留之處稱之爲『三保壟』。三保壟附近有多處三保井、三保亭，還有一個『三保墩』，三保墩據說是鄭和寶船之中，曾有一艘船沈沒海中，只留下光禿禿一截長桅。後來，華僑便建『三保墩』，用以紀念。

在印尼首都雅加達的公園裡，仍然保存著當年鄭和送給當地人的四尊大炮，在每年舊曆六月三十日，所謂的鄭和誕辰紀念日，同樣要敲鑼打鼓慶祝一番。

三保壟還有一個極爲著名的『三保洞』，據說這個洞，原來是毒蛇洞，誰也不敢靠近。

但是，鄭和不怕，他不但昂然進洞，還在裡面掛起蚊帳，備好榻子，舒舒服服的睡覺，蛇也不敢干擾鄭和。久而久之，毒蛇自動遠離，所以，當地人認爲鄭和是神仙。

現今三保洞門口，掛了一副對聯，上聯是『受命皇朝臨海國』，下聯是『留蹤石洞庇人家』，凡是想要入洞的人，必須先敬香膜拜，方可入洞。若是遇到六月三十日，更是萬頭攢動，人人想要入洞，沾一些喜氣。

由於三保洞是一個沒有窗户的山洞，進去的人若是太多，裡面空氣不流通，可能會窒息。因此，大家都有節制，一批進入參觀出來以後，另一批再湧入。同時，當地人認爲攝影是褻瀆神明，不許照相機隨便『咔嚓咔嚓』亂按。

距離三保洞不遠之處，有一片空曠地帶，建立了古色古香的亭台、長廊，善男信女且可在廂房寄宿，希望在半夜，鄭和可以托夢給他，指點迷津。革命志士、國學大師章太炎並且題了一副對聯憑弔鄭和，上聯是『識君千載後』，下聯是『而我一無能』。

鄭和入廟，成爲神仙不奇怪，奇妙的是連他寶船上的大師傅，也入了廟，成爲膜拜的對象，這倒是一件新鮮事：

據說，在鄭和下西洋之時，船隊駛入雅加達，在金星靠岸（即今天的安卒）。

當時安卒雜草叢生，一片荒蕪，還是野蠻地帶，只有巴刹市場附近地勢高亢。

夜幕低垂之時，當地人喜歡聚集在巴刹市場，看舞蹈表演，鄭和帶去的水手，也跟著去湊熱鬧。

在這一群歌舞女郎之中，有一位最爲出色，貌美如花，身材婀娜，舞姿曼妙，大家的眼睛都跟著她轉。

鄭和的大廚師，深深被歌舞女郎所吸引，定定地望著她，整個人被迷住了。

歌舞散了，大廚師的心也亂了，當天晚上，無法成眠，腦子裡全是她的倩影，恨不得第二天晚上趕快到來，可以再去看表演。

第二天晚上，大廚師果然又來了，這次到得早，挑了一個前面的好位置，能夠看得更清楚一些。他也益發地意亂情迷。

在鄭和停留在爪哇期間，大廚師天天晚上來報到，癡癡地欣賞表演。

到了最後一夜，船已要開拔，同伴都走光了，大廚師還在依戀：『再看一會兒吧。』

最後，鄭和的寶船開拔了，大廚師走不成了，他只好被迫留在爪哇。

大廚師每晚來報到，他的癡情也感動了歌舞女郎，尤其是大廚師因此被迫留在爪哇，歌舞女郎也覺得不忍，終於答應嫁給他，不過，她有一個條件：『我是虔誠的回教徒，你以後不許吃豬肉。』大廚師心想，憑我的手藝，什麼肉都能烹調得可口，不吃豬肉沒問題，他滿口答應。

『不過，』大廚師囁嚅道：『我可不可以也相對提一個小小的要求？』

『你說。』

『拜託你以後不要吃臭豆，那股臭味眞受不了。』大廚師揑著鼻子誇張地說，把歌舞女郎逗得哈哈大笑：『臭豆是我們拿來與辣椒合煮的妙品，既然你不能忍受，我只有捨棄口福啦。』

就這樣，兩人恩恩愛愛過了一輩子，男的不吃豬肉，女的不嘗臭豆，互相容忍，彼此體諒。死後，這對賢伉儷被後人膜拜，尊爲『大伯公神位』，大伯公者，就是鄭和的大廚師。

爲了表示對大伯公的尊敬，凡入廟者，一律不准攜帶豬肉與臭豆，這也是鄭和下西洋，留下的一段佳話。

閱讀心得

【第749篇】爪哇的比武大賽。

爪哇，在中國古代，被稱之爲闍婆，又名訶陵、社婆。遠在唐朝貞觀十四年，就曾經遣使來朝，新唐書有記載。

不過，一直到鄭和下西洋之時，爪哇仍然相當落後，許多風俗習慣既野蠻又恐怖。

根據馬歡的報導文學『瀛涯勝覽——爪哇國』條，我們可以大概了解當時的社會狀況。

當地的習俗是男子披頭散髮，女子則把長髮挽起，束在腦袋後面，不論男女，上身穿衣，下身則圍手巾。

凡是男子，爲了表示英雄氣概，從三歲小兒到百歲老翁腰間都佩一把『不刺頭』。所謂『不刺頭』是用上等鐵打造而成的利刀，銳利無比。柄則是用金或犀牛角或象牙雕刻而成。雕飾的花紋很奇特，都是人形鬼面，猙獰兇狠。

爪哇男男女女都認爲，頭是人體之中最尊貴之處，若是有人不小心碰觸到頭，沒有第二句話，非掏出『不刺頭』來拚一個你死我活。由於民性剽悍，不論酒醉發瘋，或是買賣之間言語不合，經常把隨身攜帶，夜晚不離身旁的『不刺頭』取出來較量一番。

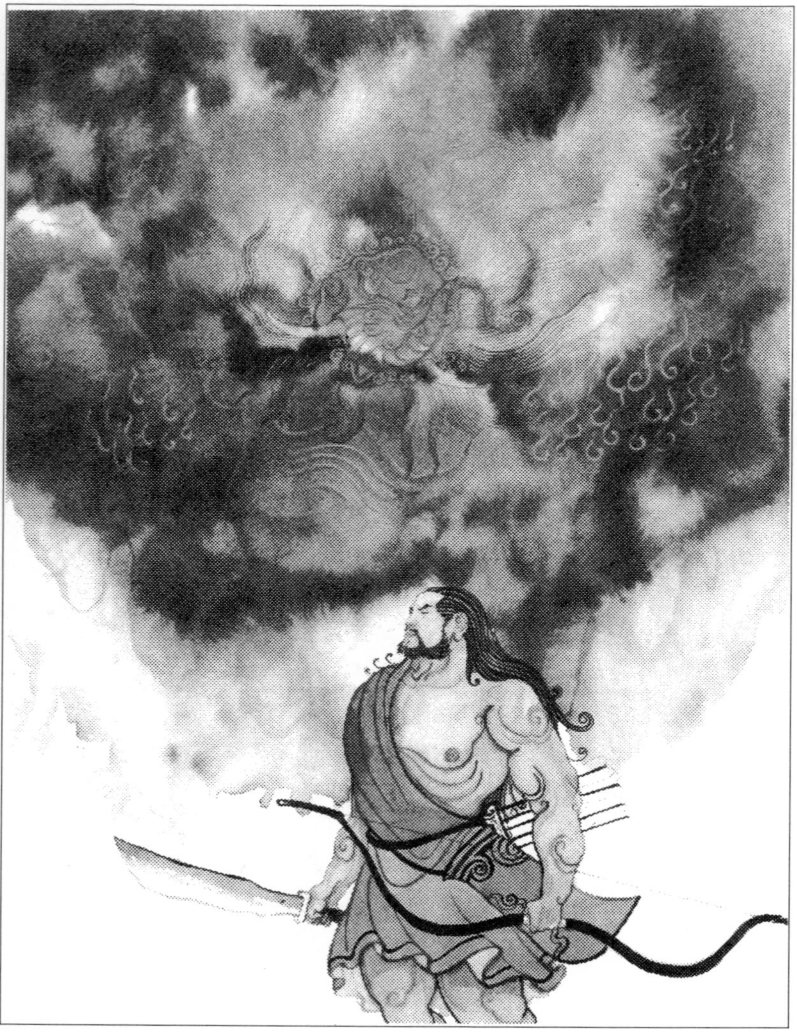

若是不慎把對方刺死，倒也沒關係，只要誰有辦法躲上三天三夜，算你本事大，用不著償命，當然，殺了人以後，馬上被對方人馬還以顏色，當作陪葬的卻也不在少數。

爪哇處罰犯人的方式也堪稱一絕，案情不論輕重，先用細藤把犯人雙手綁在身後，讓犯人繞著走幾圈再迅速以『不刺頭』刺入犯人的腰眼或軟肋之間，當場斃命，簡單俐落。每天都要處死不少人，讓鄭和一行人，看得是目瞪口呆，嘖嘖稱恐怖。

爪哇國中分爲三等人：回國人、唐人與土人。

土人面貌醜陋，皮膚是暗褐色，猱頭赤脚（猱是長臂猿），篤信鬼教。

土人吃的東西很可怕：把蛇、螞蟻、各種小蟲，放在火上烤一烤，就咕嚕吞下肚子。而且吃東西的時候，與貓狗牲畜一塊共食，且共用一個器皿，晚上也共睡一處，相當噁心。

相傳爪哇古代有一個鬼子魔王，青面紅身赤髮，他與一頭象結合，生下了一百多個怪物，怪物喜歡吃人肉、喝人血。

有一天，雷聲隆隆，石頭迸裂，石頭中跳出一名勇士，趕走大象、鬼子魔王及怪物，衆人擁勇士爲國王。土人就是國王的後裔，血液中流竄著好鬥的本性。

每年十月，爪哇國舉行竹鎗大會。國王與王后分乘塔車到達會場，塔車高一丈，四面有窗，下有轉軸，很是神氣。

比賽的武器是竹鎗，所謂竹鎗是用竹子削得尖尖的，雖無實心，但是對準心窩刺去，照樣會要人命。

比賽開始，以鼓聲快慢爲信號，每一場由兩位勇士對決，雙方執鎗挺進，目露兇光，旁觀者搖旗吶喊，場面亢奮，雙方的妻子則手持木棍，充當啦啦隊。

每一場比賽，固定是三回合，三回合之後，雙方妻子手舉木棍，高呼『那拉那拉』，就表示結束，通常總有一方倒地而亡，大家會爲勝利一方喝采。

國王命令勝利一方給失敗一方一個金錢，表示慰問。然後，勝利一方就得意洋洋帶著輝煌的戰利品——對方妻子凱旋而歸。這眞是標標準準的弱肉強食的世界。

爪哇國中的華人，屬於比較高級的人，多半來自廣東泉州漳州一帶，聚集在杜板之地，該地有一個小池塘，池水甘淡可口，人稱之爲『聖水』。傳說在元朝之時，元命大將史弼征伐闍婆，經歷了一場苦戰，仍然不得登岸，而船中的飲水已經用完了，大家都驚惶失措，不曉得該如何是好。

這時，史弼走下船來，跪在沙灘上對上天祈禱：『弼奉命討伐蠻夷之邦，老天若是垂憐，我們就得救了。否則，只有葬生異域。』說著，史弼舉起長鎗，奮力插入海灘，說來也奇怪，鎗插入沙灘之處，咕嚕咕嚕湧出許多清水，彷彿噴泉一般。

史弼等人欣喜若狂，一起撲了上來，用雙手掬起清涼的水，滋潤乾渴的喉嚨，覺得是世界上最最甘美的甘泉。史弼率領士兵，集體在海灘跪下，同聲感謝。

日後，這個池塘的水，就被稱之爲『聖水』。

在爪哇，不論那一等人，都喜歡嚼檳榔，從早到晚嚼個不停，只有在吃飯之時，才把檳榔暫時吐出來，吃完飯後再繼續。

當地雖然落後、不開化，人們卻過得頗爲快樂。每月十五、十六日，月圓清明之夜，總是二三十名婦女，由一位女子率領，組織成小小合唱團，踏著月色，手牽手徒步而行。總有帶頭的唱一句，其他人和一句。若是合唱團步行到富貴之家門口，主人往往會多少賞賜一些些。

當時爪哇人心目之中，世上最尊貴的東西，該算是中國的青花瓷器，誰若是有一樣，可是稀罕得不得了。

以上所述，多半是鄭和隨行人員的行軍記錄。我們可以想像，當時的中國人見到這樣的記載，更加強了優越感，在中國人心目之中，無論是北方的蒙古西藏，南方的海上諸國，無不是文化落後的蠻夷之地，中國人當然是天朝上國。中國人從來沒有見識過眞正的西方文明，所以，到了清朝，門戶洞開，鴉片戰爭之後，會敗得如此悽慘。

閱讀心得

【第750篇】

花面王大戰蘇門答臘。

除了爪哇之外，蘇門答臘也是鄭和下西洋必經之地，他七次下西洋，竟然就有六次到了蘇門答臘。

鄭和第一回到蘇門答臘，發生了一件有趣的事，值得一記：

他透過舌人，親切地問一位當地居民：『告訴我，你叫什麼名字？』

『阿咕啦。』

『是的，阿咕啦你好。』

走了不遠，鄭和遇到另一位當地人，問他的名字，竟然又是阿咕啦，以後，一路之上，每一個居民都說自己是阿咕啦，讓鄭和一行人丈二金剛，完全摸不著頭腦。

後來，到了城裡，一打聽之下，乖乖，阿咕啦乃國王是也，原來這個小地方，人人以國王自居，還眞是了不起。

這些衆多國王們，不論男女老少，個個赤身露體，不著一物，只在腰間綁上一塊方巾。

在蘇門答臘，鄭和還幫助該地，平定了一場亂事，事情是這樣的：

蘇門答臘的鄰邦，有一個那孤國，那孤國的國王非常陰狠，臉上刺了花，被稱爲花面王。

花面王幾度三番攻打蘇門答臘，在一次激烈的戰爭之中，花面王用毒箭射中了蘇門答臘國王的心臟，當場斃命。

王后跪在國王身旁，哀哀痛哭，柔腸寸斷，她手中牽著稚齡的小王子，緩緩地站了起來，抹乾眼淚，向衆人宣佈：『如果，誰能幫助我，把該死的花面王殺掉，爲亡夫報仇雪恥，我願意嫁給他，並且，在小王子長大之前與他共同掌理國事。』

所謂『重賞之下必有勇夫』，王后年輕貌美，楚楚動人，又有掌理國事爲誘餌，許多人都爲之心動，但是，花面王武功高強，心狠手辣，也不是容易對付的角色。所以，許多蘇門答臘男子，仔細思慮，仍不敢冒這個險。

在蘇門答臘海邊，有一老漁翁，一向是天不怕地不怕，倒是他那一身橫肉，胸脯下露出一截黑肚皮，隨時找人比武的兇模樣，讓旁人見著害怕。他決定去找花面王拚個高下。

於是，老漁翁吆喝了一批人，怒氣騰騰去找花面王，花面王沒有心理準備，當場就楞住了。老漁翁不由分說，把花面王劈胸揪住，大喝道：『今天我來報仇。』一刀了結了花面王。

王后雖然不喜歡老漁翁的可怖面孔，但是，不能不遵守諾言，嫁給老漁翁，且讓他掌理國家大事。老漁翁被國人稱之為老王。老王得到了美人，又手握大權，萬分地得意。

小王子漸漸長大，也了解了許多事，他對老王極為不滿，老王顯然也沒有把小王子看在眼中，更不準備把王位還給小王子。王后雖然心疼兒子，卻根本不敢開口，她若是有辦法，當初也不會借重老王。

小王子聯絡了一批老臣，以迅雷不及掩耳的方式，出其不意，把老王給暗殺了，順利登上了王位，成爲新國王。

老王的弟弟蘇幹剌溜得快，逃到深山裡，組成一支游擊隊，經常騷擾新國王，新國王頭痛萬分，卻又沒有消滅蘇幹剌的能力，直到永樂十三年。

永樂十三年，鄭和奉命到達蘇門答臘，帶來大批寶物，以及明成祖的詔書綵幣等等。蘇幹剌聽到消息，十分眼紅，他不以爲然道：『這一對可惡的母子，利用我哥哥，消滅了心頭大患花面王，然後，又把我哥哥給殺害了，這批寶物，原該歸我兄弟們所享有。』

於是，蘇幹剌帶了幾萬人，氣洶洶地殺向蘇門答臘。

新國王慌了陣脚，向鄭和求援。鄭和當年跟在成祖身邊，大小戰役經歷得多了，因此，相當鎮靜，他對新國王道：『別慌，我派左先鋒張計、右先鋒劉蔭來協助你，他們都極有本事。』

新國王便把指揮權交給兩位先鋒，劉張二人帶領蘇門答臘的兵隊，三兩下便把蘇幹剌給擄回來了。

國王好樂，不停地道謝：『多勞元帥麾下兩位先鋒前來助陣，小國得以轉危爲安。』

一直到今天，蘇門答臘人仍然懷念鄭和的大力幫助。在蘇門答臘最大的城市——亞濟，還有一門鄭和當年帶來的銅鑄大鐘。華僑們且合資，建立了一個鐘亭，用來紀念鄭和。可以遙想，當年鄭和的鐘擊一響，該是如何地振奮了國王及其子民。

蘇門答臘有一個中外馳名的地方——舊港，又名巨港，在明朝時期，稱之爲『三佛齊國』又稱『佛林邦』，因爲鄭和需要在此添加食水，連帶使得該地區繁榮富庶起來。

該地最著名之處，在於盛產各種各樣的香料，如金銀香、降香、沈香，香氣撲鼻，後來，經常輸入中國。

鄭和還順便教當地人下圍棋，以及玩皮影戲，甚且，當地的一切交易，乾脆使用明朝的銅錢。舊港，可以說完全是鄭和一手帶起來的興盛。

鄭和在東南亞地區的作爲，眞是徹底實踐了中國人理想之中的『王道精神』。因此之故，連鄭和足跡未到的菲律賓，竟然也有菲律賓人傳說，鄭和在菲律賓去世，甚至有鄭和墓為證。事實上，鄭和是在南京病逝的，與菲律賓毫不相干，只能說是菲律賓人對鄭和的一片仰慕之情。

閱讀心得

【第751篇】

鄭和大戰錫蘭王。

鄭和下西洋，並非一帆風順，無往不利，有時，也會遭遇挫折。譬如在錫蘭，錫蘭國王亞烈苦奈兒就極爲不友善。

錫蘭王性格暴戾，喜怒無常，附近的鄰國，個個都吃過他的虧。鄭和心想，犯不著與他爲敵，所以，每一回經過，總是繞道而行，避免正面接觸。

錫蘭王見鄭和不來，以爲是自己厲害，鄭和怕了他。因此，三番兩次加害鄭和寶船派出的使節，讓鄭和忍無可忍。

後來，錫蘭王更進一步，他想把鄭和給騙了來，再加以殺害。以鄭和在南洋一帶聲望之隆，如果竟敗在錫蘭王手下，那麼，亞烈苦奈兒等於坐上第一把交椅。錫蘭王愈想愈興奮，用了個辦法，誘鄭和赴錫蘭。

鄭和一路之上，抱著『不入虎穴，焉得虎子』的心情南下，他不主動開戰，可是，事到臨頭，也從不躲避。鄭和猜也猜得著，錫蘭王心懷鬼胎，但是，他還是直往錫蘭。

當寶船靠近錫蘭之時，遠遠地見到水面漂浮著許多泡沫，閱歷豐富的鄭和指著泡沫道：『這水底下一定有問題。』

一旁的水軍都督解應彪，順手掏出八支『賽犀飛』『咻咻咻』射入水中，

頃刻之間，水面一片鮮紅，沒多久，漂起了八具血淋淋的屍體。原來『賽犀飛』一如武俠小說中形容的利器，專門用來對付水底下埋伏的奸細。

鄭和沈著道：『恐怕不只八個水鬼，快下去搜。』於是，身旁矯健的水手一躍入海，在水底捉出了一百多個番兵，抓入寶船問話。

『你們是那裡來的？』鄭和問道。

『我等是本國的軍隊，奉國王之命，埋伏在水中，等到寶船駛過，用鑽子破壞船底。』番兵回答道。

鄭和轉念一想，看來岸上定有另外的埋伏，可不能中了計，所以，他故意繞個道，不自碼頭上岸，從一旁森林靠邊，親自帶了兩千名健卒，從小道悄悄入了城，機智地生擒了錫蘭王。錫蘭王完全沒料到鄭和有這一著。

他正好整以暇，等著五萬大軍活捉鄭和哩。

鄭和逮了錫蘭王及其妻子，送回朝廷，讓明成祖發落。

群臣議論紛紛，個個都以為該斬。

成祖卻有不同的意見，他說：『朕哀憫番人無知，將他與妻子無罪開釋，且供給衣食。不過，他殺害我朝使節，不能再當國王，在他們族人之中，再選一個賢者擔任國王吧。』

在一干錫蘭俘虜之中，大家都稱讚一個叫『邪把乃那』的最為賢能。

成祖裁示：『好，邪把乃那，朕賜你為國王。』

所有的俘虜一塊磕頭，個個都是驚喜交迸的表情，他們原來以為，來到中國就是處死，沒想到，不但沒死，換了個新的好國王，成祖還恩賜許多寶物，讓他等衣錦還鄉。

明成祖懷柔遠人，爭取人心，的確是有一套。這件事，一傳十，十傳百，海外諸國更加心悅誠服，以當中國的藩屬爲榮。

錫蘭俘虜『衣錦還鄉』還眞是的確如此。他們原先是不著衣服，只以樹葉蔽體，又稱爲『裸形國』，其中還有一段故事：

當地人流傳一則古老的傳說：從前，釋迦牟尼曾經來到錫蘭。因爲天氣燠熱，他就脫光了衣服，跳入水中痛痛快快洗了一個舒服澡。

土人看到釋迦牟尼掛在樹上的袈裟，一時興起，拿起來玩。

釋迦牟尼浴罷，走上岸邊，發現袈裟不見了，急得要命，卻見土人藏在樹後，對他扮鬼臉，釋迦牟尼趕緊去搶，土人順手把袈裟交給另一個土人，一會兒隱入森林之中，衆土人開了個玩笑，個個拍手笑彎了腰。釋迦牟尼又羞又氣，他指著土人詛咒：『你們把我的袈裟拿走了，沒關係。我罰你們一輩子不能穿衣服，否則，全身長滿爛瘡。』土人反正對穿衣服沒興趣，嫌衣服悶熱，乾脆，從此以後，赤身露體，倒也自在愉快。

這則故事，不但對釋迦牟尼沒有不敬之意，反而代表佛法無邊，佛祖具有無上權威，如同當地山中盛產紅雅姑、青雅姑、黃雅姑及青米藍石，鮮艷而美麗。這些寶石都是大雨過後，大量泥沙沖積而下，在沙中揀拾出來的，當地人認爲，寶石是佛祖釋迦牟尼的眼淚凝結而成，送給當地人當禮物。

從錫蘭國碼頭別羅里上岸，海邊山脚光石上，有一道長二尺的足跡，錫蘭人認爲這是釋迦牟尼從翠藍山登岸處。足跡上有淺淺的一灘水，當地人把它視爲聖水，凡是經過的人，都用手蘸一點水，揉洗眼睛。

據當地人的說法：『佛水清淨聖潔，用佛水洗過眼睛，一輩子都不會害眼病。』

從科學觀點而言，每個人用髒手沾髒水，似乎更容易傳佈細菌，讓眼睛發炎。

離佛祖足跡不遠之處，有一座僧寺，寺中有一雕像，雕的是佛祖側身臥在床上，旁邊有佛牙及舍利子，相傳這是佛祖去世之所在。整個寢座是用上好的檀香木製造的，四周鑲滿了各種顏色的名貴珠寶，表示對佛祖的敬重。

錫蘭人篤信佛教，又敬重牛。因此，拜佛最虔誠的方式，就是每日用牛糞燒成灰，塗滿身體，再把灰調成牛糞水抹遍地上，然後，以手足伸長，小腹貼地的方式，向佛祖表示敬意。

既然牛是如此尊貴，牛肉當然不可以吃，牛乳倒是可以喝的，誰若宰牛，得判死罪，牛死了，必予以厚葬。

閱讀心得

【第752篇】

古里聖牛黃金糞。

鄭和下西洋影響東南亞一帶，這是許多人都知道的。但是，鄭和足跡所至，包括了印度，阿拉伯與非洲則是大家少見的。我們先來談印度。印度，古稱天竺，中國與印度的交通，歷史極爲悠久。只看佛教傳入中國，梁武帝對佛教如此虔誠的信仰，便可推知其年代之遠。西遊記之中，唐三藏赴天竺取經，就是走陸路到今天的印度。

在舊唐書一九八卷『天竺傳』中有一段記載：貞觀十五年，尸羅逸多

（就是玄奘所著大唐西域記的戒日王）自稱爲摩伽陀王，遣使朝貢。唐太宗很開心，特降璽書表示慰問之意。

尸羅逸多看到璽書大吃一驚，他問國家中的其他人：『自古以來，可曾有摩訶震旦（指唐朝）派人到我們國家來嗎？』

『從來沒有啊。』衆人異口同聲地回答。

尸羅逸多接受了詔書，並且，派遣使者入貢。

唐太宗鑒於天竺地遙，尸羅逸多不遠千里派使者前來，誠意可感，讓天朝上國感到面子十足。所以，回贈了更多更豐盛的禮物送給天竺王。

由於唐朝沒有種族歧視，外國人只要有才華，常能入朝爲官。因此，唐朝朝廷番官之多，成爲歷代罕見的奇異現象。

唐朝常用天竺人參與修曆工作。唐高宗之時，瞿曇羅擔任司天台太史長達三十多年，爲著名的天文學家，武后時，瞿曇羅奉詔撰光宅曆，實爲印度曆法。瞿曇羅就是不折不扣的天竺人。

唐朝流行幻術（魔術），許多幻術就是自天竺傳來，由天竺人表演的。有的幻術如以劍刺肚、以刀割舌等，甚爲可怖，唐高宗時，曾經下令禁止此類表演。

印度幅員廣大，交通不便，各成一區，語言亦不統一，史地學家曾經統計，言語竟達三千種之多，所以，鄭和到印度，也不過是蜻蜓點水，不算深入，我們介紹其中兩個小國，古里國與柯枝國。

永樂五年，成祖派鄭和賜古里國國王誥命，各個頭目冠帶，並且在古里國建立了一塊碑，碑文上刻著：『其國距離中國十萬多里，……刻石於此，永示萬世。』

古里人與錫蘭人一般，把牛當成神一般膜拜，其中還有一段極爲有趣的故事：

據說，古代有一個聖人叫某些，立定教化、教育世人，非常受到當地人民愛戴。

某些的弟弟撒波黎，卻是一個混混。他爲了建立聲譽，打擊親哥哥，竟然想出一個荒誕的辦法：

撒波黎製作了一個金櫃，金櫃中間放了一頭金牛，他對人們宣佈：金牛是聖牛，有求必應，誰最虔誠，就能得到金牛拉的金糞便。

這一下可不得了，所有的人爲之瘋狂，每天甚麼事也別做了，一心一意討好金牛，希望得到黃金糞便。

古里原是一個很窮的地方，當地人民多半是一貧如洗。現在，竟然拜一拜金牛，金牛每日所拉的金糞，足以讓人們發一筆小小的橫財，怎不令人欣喜若狂。

於是，當地人改奉金牛爲眞主，虔誠膜拜，暗中比賽誰信得最深，期望得到金糞，也在無形之中，被撒波黎所牢牢控制。

這一段期間，恰好聖人某些因事遠離。待他返回古里，眼見淳樸善良的人民，個個財迷心竅，對金糞的貪婪癡迷，簡直到達瘋狂的地步。

某些調查的結果，發現是自己親弟弟一手導演，怒不可遏，立刻動手折掉了金牛。當他在折時，古里人都暗暗落淚，心中大不以爲然，又不敢公然違抗聖人的旨意。

某些把金牛給毀了，金牛當然再也不能生產金糞了，古里人悵然若有所失，彷彿生命不再有意義，人人垮著一張臉，沒精打采，失魂落魄。

某些把弟弟撒波黎捉來，責問他：『看看你做的孽吧！』撒波黎害怕哥哥會進一步處罰他，於是趁著夜晚，偷偷騎了一頭象，三十六計走爲上策。

古里國的人聽說撒波黎走了，意味著金牛再也不會回來了，心中眞是萬般依戀。所以，就把這一份濃濃的情懷，寄託在活生生的牛與大象身上，尤其是牛，拜金牛之賜，一霎之間，似乎都鍍了一層金，古里人相信，牛會帶來好運，牛糞更是吉祥如意，隱含有黃金萬兩的象徵。

自此以後，從國王到一般百姓，每天早晨起來的第一件事，就是用牛糞調水，塗滿牆壁，又燒成灰，往身上到處撒，彷彿像撒爽身粉一般，即使牛糞有一股惡臭，在他們嗅來，也是十分芳香。

既然牛被奉爲神明，神明當然不用再勞苦工作。古里的牛在路上自由自在，卻有人誠惶誠恐奉上食糧。

一直到今天，牛在印度仍然是神聖不可侵犯。即使牠闖入民宅，破壞財物，民眾仍是含笑接受。虐待牛的後果，將是不堪設想。所以，如果有一隻牛，心血來潮，興致大發，站在街心，所有車輛都得讓路，可神氣威風的！

閱讀心得

【第753篇】鄭和的印度見聞。

鄭和一行人到了古里(印度一小國),除了對於當地牛隻享有極高聲譽,實在難以置信以外,對於古里的司法審判,同樣大開眼界。

古里沒有鞭笞的刑罰,輕則截手斷足,重則罰金誅戮,甚且抄門滅族,古里還有一種獨門的測謊術:

凡是犯了罪的,拘捕入官,若是認罪,當然沒有話說,該怎麼罰,就怎麼罰。萬一高聲喊冤枉,也有辦法!

執法者把嫌犯帶到國王或是大頭目面前，擺一口大鐵鍋，盛滿熱滾滾的油，下面擱了炭，等到火愈燒愈旺，先丟幾片樹葉進去，假使發生炮彈般的濺油之聲，表示油夠熱了。

接著，嫌犯伸出右手兩個手指，放入油鍋之中煎炸，一直到炸焦爲止，用布把兩個手指包裹起來，上面還蓋一個封記，用來證明回家之後，嫌犯不會把包紮的傷口打開來。

然後，嫌犯就用左手摀著右手的傷口，哀哀叫痛地回去。

過了兩三天，嫌犯再讓親朋好友簇擁著，回到大頭目或國王跟前，公開把傷口打開。這一剎那，可是緊張到了極點，倘若手指潰爛，(炸焦炸熟的手指，又沒敷藥，怎會不發炎？）表示嫌犯是在說謊，立刻行刑，沒有

二話。

倘若奇蹟出現，兩根炸焦的手指，竟然完好如初，可見這人是沒做過壞事。頭目爲表示歉意，以鼓樂相送。

這一下子，無罪開釋的犯人，可就成了英雄人物，回到家中，親戚鄰居朋友個個前來相賀，又是喝酒又是跳舞，熱鬧非凡。

古里國旁邊的柯枝國，情況與古里國相同，也是舉國上下，把牛當神膜拜，鄭和等人看慣了中國牛，還眞不適應當地風俗，深恐一下不小心，冒犯了牛，也就觸犯了當地人，惹來不必要有的紛爭。

柯枝國中有一樣東西，頗引起來訪中國人的樂趣，那就是家家户户都用磚泥砌一個土庫。放眼望去，到處都是大小不等的土庫。

柯枝人解釋道：『土庫可以防火防盜，凡是比較貴重的東西，我們都放在土庫之中保全。』原來，土庫就是保險箱。

柯枝人分五等：南昆、回回、哲地、革令與木瓜。木瓜是最低賤的一種人，爲了確保其低賤起見，木瓜人只准住在海濱落後地區，房簷不准超過三尺，若是超過三尺，表示有罪。連木瓜人穿的衣服都有規定：上不過肚臍，下不過膝蓋，眞是怪模怪樣。

木瓜人很可憐，若在路上遇到南昆、哲地這些高貴的人，必須伏在地面，等到高貴的人通過，他們才能站起來，繼續往前走。

還有一種化外之人，稱爲濁𦠆，也就是道人，道人能娶妻，他們的外貌極易辨認，他們的頭髮極長，自出娘胎，即不剃髮，自長鬍鬚，也不剃鬍，更怪的是，亦不整理，只是用酥油把頭髮搓成十餘條，披曳在腦後。雖然不修邊幅，每日卻不忘，用牛糞燒成灰，遍擦整個身體。

不論是古里人、柯枝人，他們有一個習慣，很讓鄭和一行爲難，那就是印度人一律以右手五指抓飯，左手五指洗抹肛門糞便。

鄭和覺得十分奇怪，他透過翻譯請問：『這恐怕不衛生吧？』

印度人的答覆是：『沒有比這個更清潔的了，天生五指，隨處可用，豈不方便？飯前飯後，自己洗淨，一點也不髒。』

正因爲左手抹糞，右手進食，印度人左手右手可是分得清清楚楚的。所以，用左手敬禮，或者用左手接受禮物，都是不禮貌的失禮行爲。鄭和因爲不習慣，每做一件事，都得先停下來，想一想，用左手還是用右手。

印度人老式的吃法：是每人一盆飯，一杯冷水，用右手撮點菜放入飯盒，調和一下，送入嘴中，幾乎每一餐、每一樣東西都少不了咖哩，讓中國水手眞吃不消，他們印度人卻樂在其中，鄭和笑歎：『這兒如此之熱，大概也非得用辣勁十足的咖哩，才能夠以毒攻毒。』

當時尚無寒暑表，也不清楚到底熱到什麼程度，只知雖然炎熱，竟沒有汗，因爲，汗水初出毛孔，就化爲蒸氣揮發了，只在皮膚上留著一層鹽巴。到了晚上，大家就露天而睡，不怕露水，因爲，空氣之中早已沒有一點兒水分。

印度不論男子穿的布褲，女子穿的紗籠，都是一整段的布，不用針、不用線，不用剪裁，有些薄紗相當輕柔鮮艷，她們巧妙地在身上一裹，立刻顯得婀娜多姿，亭亭玉立。

她們洗衣服的方式，倒也別致，在水裡漂一漂，然後，用不著曬衣服，兩個人各執紗籠的一端，在空中這麼飄一飄，彷彿放風箏一般，飄個十幾二十下，一條紗籠便乾了，省事又方便。

永樂六年、永樂九年、十年，鄭和曾經三度前往柯枝國，帶來明成祖的詔書，並且在山上石頭刻文紀念：『柯枝國遠在西南，慕中華教化，鼓舞歸順，仰天而拜，何幸中國聖人之教，沾及我邦……』這當然是出自中國人的手筆。

總而言之，鄭和在印度，雖然不及在東南亞，帶來重大的影響，但是，畢竟鄭和到過印度，甚且，今日印度亦有鄭和的石刻像，可惜，當時留下來的記載不夠完整，我們無法更進一步的了解。

閱讀心得

【第754篇】

鄭和遨遊阿拉伯。

鄭和下西洋，到過南洋一帶，這是大家都知道的。但是，鄭和足跡遠至阿拉伯與東非，一般人則不甚清楚。

接下來，我們根據馬歡的《瀛涯勝覽》，費信的《星槎勝覽》談一些鄭和赴阿拉伯的趣事。馬、費二人並不諳當地語言，對當地傳聞，也是道聽塗說，因此，有些地方，我們也就只有姑妄聽之，不能詳加考證。

鄭和先到達一個叫『祖法兒國』的地方，位於阿拉伯海南岸。根據梁啓超先生的考證，應該就是著名的巴加達港。

鄭和一抵達，就發現當地人民個個高頭大馬，虎背熊腰，長相都相當勇猛，頭上纏著白布，頭頂箍一個圈。

貴族的打扮十分考究，頭上依舊纏繞白布，披上金色的緞袍，搭著一條手工極爲精細的青花披肩，出門之時，騎在漂亮的馬上，後面緊跟著象隊、駱駝隊、馬隊、手刀隊、樂隊……壯觀宏偉。

祖法兒國的人民非常虔誠。每到星期五上午，也就是回教的禮拜日，全國一律停止工作。男女老幼如辦喜事一般，先是徹底沐浴，整理清潔，再用薔薇露、沈香末灑遍全身。洋人一般而言，體味甚重，常有狐臭，噴點香水以後，果然氣味好多了。

於是，男男女女，神情肅穆，穿過街道，到達回教的禮拜寺，脫下鞋子，恭謹前去祭拜。

鄭和等人發現，祖法兒國的女子外出時，總是用布從頭包到脚，根本分不清誰是誰。不過，很奇怪，她們頭上包的巾，有的纏成三個角，有的纏成五個角，各個不同，這是什麼道理呢？

透過舌人的翻譯，當地人解釋道：『三個角表示她有三個丈夫，五個角表示她有五個丈夫。』

『那麼，十個角就代表她有十個丈夫了？』鄭和的部下，指著一個頭上綁著一、二……到十個角的婦人，萬分訝異地問道。

『是的，因爲我們祖法兒國，男多女少，所以一個女人常常有許多丈夫。』

按回教國家，一向是一夫多妻，怎麼會有這等一個女子有十個丈夫的怪事，不曉得是否隨鄭和而去的馬歡、費信記載錯誤。

鄭和到了祖法兒國，當地國王很高興，大擺筵席，其中有一道菜：『駝雞』甚爲味美，據說這種駝雞『瘦瘦的兩隻脚，高三四尺，身扁頸長，供人民騎坐，鮮美可口，齒頰留香。』所謂的『駝雞』，想來就是駝鳥，可能是肉質與雞一般可口，因此稱之爲駝雞。

祖法兒國國王好客，除了宴請鄭和一行，又獻上乳香、地毯、檀香、胡椒等，同時，國王聽說中國沒有『駝雞』，還帶來幾隻，送上鄭和的寶船，讓鄭和帶回中國，讓明成祖瞧一瞧。只是不曉得駝雞最後是否祭了明成祖的五臟廟。

鄭和離開祖法兒國，到達阿丹國，一稱阿丁國，阿丹國國王昌吉利聽說鄭和要來，老早就在海邊恭迎。

阿丹國王爲表示歡迎熱忱，特地打造兩條鑲滿了珍珠寶貝的腰帶，獻給鄭和，鄭和含笑收下，當然，也回贈了不少寶物。

鄭和在阿丹國待了幾日之後，有一天，一個阿丹國的將領前來，他客氣地對鄭和報告：『我是阿丹國的總兵官，名叫摩珂，奉我們阿丹國國王的命令，請大元帥在此留宴二日二夜。』

『好啊，你先在這兒用過飯再走。』

『不了，我要趕回去，謝謝大元帥。』說著，摩珂便匆匆告辭了。

心思細密的鄭和，立即找王尚書前來商量，雙方一致認爲事有蹊蹺，鄭和分析道：『第一，爲什麼不是國王親自前來？第二，爲什麼沒有攜帶禮物？第三，爲什麼連一頓飯也不肯留下來？莫非想劫取寶船？』

不過，猜歸猜，誰也不知道阿丹國王究竟葫蘆裡賣什麼藥。鄭和考慮了一會兒，明快地下令：『今晚我們慰勞大家，把船隊分爲四隊，包圍整個阿丹國，三隊開懷暢飲，唱歌跳舞，一隊則小心警衛。』

由於阿丹國幅員不大，整個晚上被鄭和的聯歡晚會，吵得震耳欲聾，無法休息，阿丹國王眼見鄭和軍容壯大，聲勢顯赫，唱唱歌，跳跳舞就有如此威力，自然而然打消了劫寶的念頭，這也是鄭和聰明之處。

離開了阿丹國，鄭和到了忽魯謨斯（今天伊朗的班達亞巴斯）。這兒的人與阿拉伯人又不一樣，比較白淨，也比較斯文，這兒的女子不用布纏身體，但是耳朵、臂上、腕上、腳上，都掛滿了珠寶，走起路來，叮叮噹噹十分有趣。

鄭和一行還看了一場羊玩把戲，有六個人，各拿一根木竿，第一根有一丈長，第二根有二丈長……第六個人拿的第六根，有六丈長。

音樂響起，這六個人，拿著六根竿子，邊唱邊跳，一會兒緊鑼密鼓，來了一隻白羊，白羊一躍而上，跳到第六根竿子的頂端，用兩隻後腳踏著竿子頂，『咻』地一下跳到第五根竿子……這麼一級一級地跳下來，姿態曼妙，動作俐落，眾人都拍手叫好。

忽魯謨斯國王親自迎接鄭和，他的座騎後面，跟著二百衛隊，騎在兩百匹駿馬上面。軍容壯觀，態度謙和大方，鄭和笑嘻嘻道：『彷彿來到了君子國。』

忽魯謨斯國王遞上降表，又送上禮單，計有：『獅子一對、麒麟一對、草上飛一對、名馬十匹……大珍珠五十顆、珊瑚樹十棵。』

鄭和接過禮單，客氣地說：『誠意可感，只是禮物太貴重了。』

國王誠懇道：『不成敬意。』

當然，鄭和回贈的，永遠比收到的禮物更多。

鄭和此去，帶了不少回教徒，他們正好乘機赴麥加朝聖，有一些乾脆留在紅海，一待就是十八年，直到鄭和第七次下西洋時才把他們帶回來，還有一些，就留在當地娶妻生子。

阿拉伯人會學中醫把脈，也有用阿拉伯文寫成中醫書，英國人蘭夫著有《世界醫學史》指出醫藥直接由中國傳入阿拉伯，這一切，都要感謝鄭和的壯舉。

閱讀心得

【第755篇】鄭和遠征非洲大陸。

鄭和的艦隊，曾經遠征東非，並且留駐長達三年，如此的壯舉，卻是一般國人所陌生的，實在是一件可惜的事。

葡萄牙人逖亞士在一四八六年前往印度探險，遇到風暴，偶爾發現了好望角。義大利人哥倫布，由於得到馬可波羅從中國帶回的指南針，抵達美洲，發現新大陸。

這兩件航海大事，都在鄭和之後，所以外國著名史家如伯希和、費朗·

曼耶斯對鄭和都有極高的評價，日本學者山本達郎、北村松之助等研究鄭和的著作亦多。反倒是中國史學界對鄭和的興趣不大，中國人一向不贊成冒險行爲，所以，鄭和也不是中國父母鼓勵小孩模仿的榜樣。

鄭和到東非，航程經過木骨都東等五個國家，包括了今天索馬利蘭東岸、巴拉雅，以及莫三鼻給沿海、肯亞一帶。

對於這一片黑暗大陸，不但人種是黝黑的，而且根據費信的記載：『山連地廣，黃赤土石，不生草木，田瘠少收。』又說：『村店寥落，地僻西方，山荒多廣，而多無霖。』

所謂無霖，就是不下雨，在木骨都東，地廣人稀，經常幾年不下雨，當然，偶爾一年下雨，他們又不曉得如何貯存雨水。

因此，木骨都束人最寶貝的東西，就是用羊皮製成的水袋，水袋中的水，可是救命用的。

因爲過於乾熱，不但人受不了，連鯨魚都會烤乾在沙灘上，所以，當地出產一種著名的龍涎香，所謂龍涎香，就是抹香鯨的膽，其香無與倫比，可用來做爲香料。

鄭和到達之後頭一件事，就是掘井，一部份的水，供船上使用，一部份的水，則供當地人使用。一開始，鄭和就伸出了友誼之手。

接著，鄭和在船上，大規模地宴請木骨都束國王大臣。並且在席間，賜給國王許多珍奇寶物，國王一點也不客氣，照單全收。

收完了禮物，國王透過舌人對鄭和說：『我今天接受貴國的招待，十分開心，明天該輪到我來作東請客。』

『好啊。』鄭和一口答應：『我一定來。』

『但是，』國王停了一會兒，繼續說：『我們國家沒有請客用的器皿、桌椅，也沒有漂亮的屏風。』

『那也沒有關係。』鄭和接口。

『不！』國王搖搖頭：『我請你們出席宴會，你們把這些個設備全部送給我。』

鄭和左右的人面面相覷，都懷疑自己耳朵出毛病，這個黑國王也未免太貪心了，借用借用也就是了，一開口就要，臉皮可眞是厚。

鄭和倒也大方，他不但滿口答應，並且說：『不如這些盤碗、桌巾一併送給你。』

國王笑咪咪地說：『那樣最好，還有你的廚師要來幫我做好吃的菜。』

國王告辭之後，衆人議論紛紛：『明天是宴無好宴，看這個國王貪婪的嘴臉，小心明天別成了鴻門宴。』

『不會的，你們大可以放心。』鄭和一拍胸脯道：『就算是鴻門宴，我等還是得去，不去更危險，何況這一路之上，我們什麼危險沒碰過。』

第二天，鄭和從容赴宴，從桌椅到盤碟，一切都自寶船上搬來的，天下還有這種霸王請客的方式。國王起先確實是見錢眼開，頗想打劫，不過，昨日見到了鄭和的威儀及大度，早已打消了這個自不量力的念頭。雙方吃吃喝喝，相處十分融洽。

鄭和與木骨都束國王建立了交情之後，鄭和開始教導土人種稻子，稻子收成以後，又好人做到底，教大家如何把穀放在石臼之中搗去穀皮。

據說，鄭和還教了他們一種別開生面的食米方法，就是把米用樹葉包起來，像包粽子一般，淋一些椰子油，用火烤熟，風味絕佳。

此外，鄭和還教非洲人曬鹽，例如卜剌哇國傍海而居，應該是取鹽最方便之地，他們卻不懂得曬鹽，只曉得用樹枝浸入鹽池之中，不久，把樹枝撈起來，一會兒工夫，樹枝上有白色的鹽粒，作爲調味之用。

鄭和同時教導當地人民，如何利用樹藤綴結成橋，連接兩個山頭，可以節省不少時間與精力。這種藤條迄今仍留有遺跡。

鄭和爲什麼有興趣赴非洲，且接連去兩次呢？可能是因爲非洲有象牙、鹿茸、虎骨、豹皮，在中國得之不易，又是最爲名貴獻給皇帝的厚禮。明朝時代，還沒有所謂『保護野生動物』的觀念。因此，非洲黑人見鄭和獵殺大量的野獸，既可以除害，又能大啖獸肉，歡迎惟恐來不及。

非洲人不論男女，都是一頭捲髮，因爲很少有機會洗頭髮，捲捲的頭髮之中容易生蝨，常常互相理毛捉蝨子。他們喜歡用銀子鑄成環，一圈又一圈地套在頸子上，把頸子愈拉愈長，他們認爲這是美觀，不同的文化，必然會產生不同的審美標準。

非洲國家在受惠之餘，酋長們也『感慕恩賜，效禮進貢方物』如『千里駱駝』、『花福鹿』、『獅子』、『麒麟』、『天馬』、『犀象』等。例如現在非洲桑給巴博物館，存有清嘉慶年間中國瓷器多件，原是清朝皇帝賜給巴土王西乙隆的，中非關係的促進，鄭和的確功不可沒，也開了中國對非洲地區農耕示範隊的先河，代表了中國人的王道精神。

根據非洲華僑指出，東非某一個國家的國旗就是鄭和所戴帽子的模樣，也許是巧合，也許正是當地人紀念鄭和。可惜鄭和未帶史官隨行，也可惜當時非洲落後，缺乏可靠的資料記載。

閱讀心得

【第756篇】

以航海節紀念鄭和。

近代海運國家爲了提倡海國思想，發展航運，每每選擇其歷史上某一偉大的航海成就，作爲自己國家的航海節。

美國的航海節在五月二十二日。因爲西元一八一九年，美國有一艘『薩凡那』帆船，自紐約出發，經英國，到達今天俄國的聖彼得堡。

日本的航海節在每一年的七月二十日。起因是明治天皇在一八七六年七月二十日，由函館搭乘輪船作第一次的航海。

我國的航海節，則在民國四十四年，經中樞核定，以明成祖永樂三年七月十一日（西元一四〇五年），鄭和第一次率領六十二艘大船，率領二萬七千八百多位航海專家，由劉家港浩浩蕩蕩出發的日子，作爲中國的航海節。

鄭和航行的點點滴滴，我們在前面已經敘述得很詳盡，也深受讀者們喜愛。鄭和濟弱扶傾的表現，彰顯了中國人的王道精神，因此也產生了種種不同的附會。

例如今天臺灣出口的嫩薑，稱爲『三保薑』，傳說是鄭和在台灣種植的。但是，經過考證，鄭和並沒有到過台灣，當然，也不可能在台灣種植嫩薑。

另有一說，則是鄭和最早發現今日的澳洲。清光緒二年（西元一八七六年），澳洲學者在達爾文港郊外，一棵老榕樹的下面，挖出一個中國壽星石像。英國學者費吉羅認為，這是鄭和上岸修船之時，把石像留下來。

還有一種說法，鄭和率領部下赴蘇門答臘之時，曾經遇到海上大風暴，有一部份士兵曾經飄流到澳洲西部，比荷蘭人簡松在西元一六〇六年發現澳洲要早兩百年。

鄭和部下修好了船，環航澳洲一周，並且印了一幅澳洲地圖在磁磚上，獻給中國皇帝，可惜中國皇帝對這件事沒多大興趣。

鄭和七次航行，遠達印度、阿拉伯、東非沿海地區，若是抱的是侵略政策，那麼到處都是殖民地，在西方人未來之前，老早捷足先登了。但是，中國人沒這個野心，也看不上這些化外之地。無論如何，鄭和把國家的政治勢力，拓展到了南洋，使舊港與滿剌加成爲藩屬，滿剌加且成爲海上基地。

永樂時期，北自中南半島至馬來半島南洋群島，西達印度洋上諸海港，直抵忽魯謨斯與木骨都東都遣使朝貢，尤其以占城、暹羅、爪哇、蘇門答臘的貢使來往更爲頻繁，也使得明朝初年，國家聲威可以媲美漢武帝、元世祖，眞是威風凜凜，不可一世。

在經濟與文化方面，鄭和得到許多海外的特產珍寶，促進了海上的通商事業，並且間接地加強了華僑在海外貿易的發展。

鄭和除了帶給當地許多貢獻之外，也帶回許多有趣的東西，譬如，在食方面，南洋一帶今天是世界的米倉，當初可是鄭和教導他們耕種的，由於氣候適宜，收成極佳。在江南宜興一帶，有一種尖尖長長細細小小的米，當地人稱之爲『洋暹米』，米粒雖小，香味特佳，就是鄭和輸入的品種。

其他如番茄、糖霜、胡椒都是鄭和大量帶回中國的洋食物。

鄭和還帶來了『西洋布』，『每疋闊四丈五尺，長二丈五尺』，根據方豪教授的統計，當時進口的布類有五十一種之多。

在住的方面，永樂年間靜海寺用做基石的沈香木，就是鄭和用寶船載運回國的。鄭和也帶回大量的紫檀木，就是紅木。

再論『行』，永樂年間，鄭和帶回的『天馬』不計其數，『天方國馬高八尺，謂之天馬。』好一個天馬行空。

由於鄭和到的地方多，走得遠，他帶回的珍奇異獸也不少，例如忽魯謨斯國的獅子、金錢豹，阿丹國的麒麟，木骨都束國的花鹿、獅子，卜剌哇國的千里駱駝與駝雞，爪哇國的麋黑羔獸，幾乎把整個動物園搬入了中國。

除了動物，還有植物，鄭和對樹木花卉的移植頗有一套。南京城裡弘濟寺外的兩棵婆娑樹，就是鄭和帶回來的。在鄭和墓地旁邊、永寧寺外的名花異草，也是鄭和自己帶回的。

鄭和甚且帶回了工匠。明朝人張自烈在《正字通載》中說：『自從明朝三保太監自西洋帶來玻璃工人，中國玻璃頓賤。』

鄭和下西洋，貢獻極大，但是，看在當時明朝士大夫眼中，卻認爲下西洋耗費了太多人力物力，成爲國家財政上重大負擔，實在無此必要。

成祖駕崩，仁宗即位，立刻有人反對：『三保太監下西洋，動輒耗費錢糧數千萬，軍民死以萬計，縱得奇寶而歸，於國家何益？此一國家弊政，大臣所當切諫者也。』

大臣們竟把鄭和下西洋，視爲一種弊政，因此，仁宗即位，立刻下詔：『下西洋諸番國寶船完全停止，如已在福建太倉安泊者，俱回南京。』

不料，鄭和停止下番，各國的貢使也就爲之中輟，爲了維持國家的威信，宣宗不得不大修寶船（仁宗在位一年即去世，宣宗即位），大規模地發動了鄭和第七次下西洋，但也成爲最後一次。

美日兩國的航海節，所紀念的航海事蹟，與鄭和相比，簡直不堪相提並論。可是他們後來居上，在航運、在國力上都超出中國，原因之一，即在於他們具有冒險進取的觀念。

也許中國人歷來不主張冒險，也許因爲鄭和是太監，總而言之，鄭和下西洋，如此轟轟烈烈的大事，不但在中國史學界，沒有得到史家的重視，一般國人，也沒有太大的感覺，實在是一件相當遺憾的事。

閱讀心得

【第757篇】

紀綱亂綱紀。

明成祖派遣鄭和出使海外，鄭和果然不辱使命，宣揚國威，把明成祖的聲望推到了極致。但是，鄭和最重要的任務——尋訪明惠帝的下落，卻始終沒有達成，這是明成祖終其一生，耿耿於懷，寢食難安的一件憾事。

再說，自中國人傳統的觀點來看，明成祖篡了親姪兒的皇位，可謂大逆不道的罪行。因此，他作賊心虛，一方面大規模逮捕誅殺効忠惠帝的臣民，一方面禁止誹謗，就是不准任何人議論朝廷，寧可錯殺無辜，不可放過一人。

在這樣的情況之下，一些個狡詐之徒有了出頭與表現的機會。其中紀綱就是一個最典型的例子。

紀綱原是學校的生員(學生)，因爲素行不端，違反校規，被學校給開除了。

當成祖還是燕王，發動靖難的時候，兵過臨邑縣，紀綱叩馬求見，講了一大堆甜言蜜語，不外是『願爲大王効犬馬之勞』之類的肉麻話。

燕王見紀綱能騎能射，會吹會拍，講起話來，嘴巴怎麼也關不住，一雙眼睛不斷亂眨，顯然心術不正，再看紀綱臉上肉少骨多，瘦刮刮的，正如同俗話所說：『臉上沒有四兩肉』，一臉刻薄寡恩面貌。燕王心想，這種

人用得著。於是，就把紀綱留在身邊。

等到燕王當了皇帝，立刻拔擢紀綱爲錦衣衛指揮使，紀綱大樂，野心更熾，他努力地察言觀色，希望能夠揣摩上意，更上一層樓，官位節節上升。

紀綱發現，都御使陳瑛是個兇狠的角色，陳瑛逮捕親向惠帝的臣民數十家族，一殺就是好幾萬人，其中，當然有不少是無辜牽累的。但是，成祖不但不責備陳瑛，反而頗爲獎勵，由此可見，陳瑛是抓住了成祖的心意。

憑紀綱官職拜錦衣衛的指揮使，想要以恐怖鎮壓異己，豈不是易如反掌。因此，紀綱到處廣佈密探，暗查臣民，不管有無證據，反正先捉來再說。人逮捕得愈多，愈能表現紀綱的破案率高，也愈發顯現紀綱的忠心耿耿。

果然，成祖對紀綱的作爲十分欣賞，把他當成心腹，並且擢拔爲都指揮僉事，仍掌錦衣衛。

紀綱大權在握，不曉得陷害多少忠良，也難以估計私下收了多少紅包，他甚且連死刑犯也不放過。

譬如成祖不滿意的內侍或武臣，成祖把這些人交給紀綱論死，紀綱有他的一套作法，以李三爲例子，紀綱一定扮做好人模樣，親自把李三送回家，讓李三沐浴洗澡，吃一頓最後的晚餐，見家人最後一面。那個場面是相當相當地悽涼。

李家大小，把紀綱當成了活菩薩，前面一個白髮皤皤的李老太太，後面一個李太太，手裡還牽著一個五歲左右的小男孩，後面又跟著兩個大一點的孩子，五個人一起跪下來，哀聲地說：『請紀大人做做好事，救李家一條命。』

紀綱總是正一正臉，大義凜然道：『李三當然是冤枉的，你們不說，我也清楚。否則，我何必親自帶李三回來，讓你們見最後一面。』

一聽到『最後一面』四個字，李家大小又如黃河決堤，哭得響徹屋瓦，再次跪倒在地，央求大人幫忙。

紀綱這才慢條斯理道：『我如果有機會見到皇上，會向他說說看，不過，也沒把握。還有，裡面有開銷，你們總知道。』

李老太太立刻拿出揣在懷裡的金子，誠惶誠恐送上去，老淚縱橫道：

『一切拜託。』

紀綱把李三帶回牢裡，照他估算，李家不算有錢，李老太太恐怕把家產都拿出來了，但是，兒子的命比什麼都重要，在李家身上，應該還可以剝一層皮。

於是，隔了一陣子，紀綱又大搖大擺的來到李家。一進門，就大搖其頭：『麻煩得很。』

李三的小舅子，也是李太太的弟弟忍不住發牢騷：『唉，現在叫做欲哭無淚哦。』

紀綱立刻變了臉，氣憤難耐：『這可奇怪了，我又不是你家的家奴，憑什麼替李三奔走？費心費力跑了半天腿，落得這麼一句話，你們把我當成什麼人，眞正是豈有此理。』說著，袖子一甩，背過身子。

李家人可慌了，紀綱是錦衣衛的頭號人物，得罪了他還了得嗎？一家人趕緊賠小心，責罵小舅子，端茶送水，折騰了好一陣子，紀綱才『大人不計小人過』，勉勉強強又坐下來。

李老太太忍住淚水，抽抽搭搭地說：『實在是沒有錢了。但是，我可以把房子賣掉，向親戚再湊一些，總不能見死不救，還是要請紀大人說說情，誰都知道您是皇上身邊的紅人啊。』

於是，李家賣掉了祖產房子，東挪西湊又弄了點錢，連李太太剩下的首飾全給變賣了，一塊兒孝敬紀綱。

紀綱盤算盤算，李家看來也只有這麼點兒能耐，再榨也榨不出油水來了。這也表示李三的大限已到，紀綱挑了一個日子，李三被送入了刑場。

紀綱這種缺德的事做多了，大家都知道，他非但不是活菩薩，根本是閻王爺，但是，當紀綱帶著死刑犯，假惺惺出現在門口時，一家人還必須把他當恩人一般接待，否則除了家破人亡之外，還得擔心人死之後，錦衣衛再來找其他的麻煩。

紀綱亂綱紀，在專制制度之下，一般百姓又能如何？

閱讀心得

【第758篇】周新有偵探頭腦。

紀綱當道之時，陷害忠良無數，其中尤以誣害周新一事，最爲當時人所扼腕歎息。周新的故事，值得一提：

周新是南海人，學問極好，心思細密，很有邏輯頭腦。他原本名志新，字日新，成祖很欣賞周新的反應敏捷，每次『新』來，『新』去的，後來，周志新乾脆順著皇帝的叫法，改名爲周新。

周新原是洪武年間生員，成績優異，擔任過大理寺評事，他很會審案子，又快又好，絕不拖泥帶水，當時人說，看周新問案，是件痛快事。

明成祖即位，周新改任監察御史，敢說敢言，看到不對的事，立刻彈劾，不畏權貴，這種作風，在中國官場是罕見的，因此貴戚們給他取了一個外號——『冷面寒鐵』。

『冷面寒鐵』的名聲愈傳愈遠，到了後來，京師一帶無知婦女見家中小孩不乖，就會出言恐嚇『你再不聽話，小心，冷面寒鐵來捉你。』

小朋友也不曉得冷面寒鐵是什麼可怕的怪物，想來一定比鬼還恐怖，也就乖乖聽話了。這眞是極壞的家庭教育，事實上，明理的周新也不會胡亂抓人的。

以後，周新被派往浙江，當地冤獄的犯人聽說之後，無不叩首謝天：

『終於有了洗清冤屈的機會了。』

周新一上任就小小露了一手。

他初抵浙江，發現一大群黑蚋繞著馬頭轉，這種色黑，頭小，翅闊，觸角短的紅眼蟲子，最喜歡吸食人畜的血液，尤其是死屍旁邊，常常繞著一群蚋。

周新是個極為敏感又仔細的判案老手，他立刻吩咐『查查看，附近有沒有死屍。』

前來迎接的地方官，個個面面相覷，有人說：『蟲子總是有的，不必初來乍到，就故意說不吉利的笑話嘛。』

周新臉色一正：『我不是說笑話，你們趕緊分頭去找。』

果然，沒多久，在樹林裡，找到一具死屍，綁在樹上，看來已斷氣多日，難怪惹來一群黑蚋。

周新命人解下僵硬的屍體，在身上搜出一個小木印，他端詳一會兒道：『死者是布商，這個印是蓋在布上的，你們到城裡的布店一家一家找，發現有相同布印的，趕緊回來通報，不准聲張，不准驚動店家。』

地方差役不敢怠慢，立刻扮成顧客，一家一家布店尋找。果然，在一家新開張不久的布店之中，搜出一大批相同布印的布料。

周新帶了人馬，包圍布店，居然搜出一窩強盜，新官上任，小露一手，簡直轟動了整個浙江。

周新的靈敏，遠遠超過一般人，有些故事，聽來不無神奇！

有一回，周新到鄉下地方視察。忽然之間，起了一陣強風，吹來一片落葉，周新蹲下身來，撿起樹葉，在手中賞玩。

看著，玩著，周新忽然對旁邊的隨從說：『你們發現沒有，這片樹葉好奇特，葉片較小，且帶紅色，與附近的樹葉都不一樣。』

左右想開口：『那又如何，管他樹葉怎樣，我們又不是來考察植物的。』可是，礙於周新官大，只好也在樹上摘了一片互相參照：『果然不一樣。』

『你們快去找找看，那兒有這種葉片？』

周新下了令，差役傻了眼，到處一片樹海，這要到那兒找？

但是，『冷面寒鐵』一臉酷相，誰也不敢說個不字，只好海底撈針，一棵樹一棵樹尋尋覓覓。

差役拿了樹葉，到處找，到處問，過了十來天，有天遇到一位心細的中年婦人，她一看便說：『我前些日子去深山廟裡進香，見到廟外全是這種漂亮的葉子，美極了。』

周新得到情報，飛快帶人馬上山，在廟裡搜尋半天，毫無所獲，他不死心，再到廟外展開地毯式的搜索，居然發現一具女屍，正直挺挺躺在樹下，那樹葉與飄落在周新手中的葉子，完全一模一樣。原來是花和尚殺了女香客。

周新的明察秋毫讓人欽佩不已，也有人因此上門求救。

有一回，來了一個大腹便便，童山濯濯的商人，他愁眉苦臉的來求見周新：『大人，你相信有鬼嗎？昨天晚上，我店裡打烊得晚了，恐怕路上遇到壞人，所以把這個月賺來的銀子藏在祠堂裡石頭下，那個地方，很少人經過，我也很放心。不料，今天一大早去取時，竟然不翼而飛。』

周新笑答：『天下沒有鬼，你不用疑神疑鬼，你把銀子藏在石頭下，有沒有告訴什麼人？』

富商脫口而出：『我那這麼笨，怎會告訴人家，我只有在睡覺時，跟我太太說了，她還誇我聰明。』

周新判斷，問題就出在他漂亮的妻子上面，於是，派人日夜跟蹤，果然逮到富商妻子與她的相好李四，她也坦誠以告：『當天晚上，我丈夫提早回來了，李四躲避不及，藏在櫃子後面，李四聽說石頭下有銀子，他又正缺錢，趁夜就去取了，原以爲神不知鬼不覺……』說到這兒，她不禁掩面痛哭。

周新的冷面寒鐵作風，不會對任何人例外，包括權傾一時的紀綱在內。

紀綱派了一個姓張的千戶（千戶是衙門中的官名），到浙江來辦案子。千戶與紀綱手下其他人一般，都是作威作福到處伸手拿紅包。

周新可不管他的來頭有多大，既然犯了法，就該依法論處。千戶趕緊腳底抹油，三十六計走爲上策。

沒多久，周新赴京，冤家路窄，竟然在半途涿州碰到了千戶，周新把千戶逮捕，關在涿州的牢獄之中。

這個千戶還眞能幹，居然又溜了。這一回，千戶直奔紀綱處告狀。紀綱心想，打狗還要看主人面。周新啊周新，你也未免太不把我紀某人放在眼裡了。於是，隨便編造了一個案子，上奏皇帝。

明成祖和他的父親明太祖一樣，很容易被激怒，立即下令逮捕周新。

周新落到錦衣衛手中，可是好好被修理了一番，當他被押解到了京裡，遍體鱗傷，慘不忍睹。

周新自問對得起國家，對得起皇帝，他不明白爲什麼會有如此的下場。因此，到了皇宮，他跪在台階之前聲嘶力竭喊道：『陛下下詔按察司行事，與都察院相同。臣奉皇上詔命擒奸鋤惡，臣不明白，臣到底犯了甚麼罪？』

成祖不能忍耐有人頂撞，認爲是對他權威的挑戰，下令立刻行刑。臨終之前，周新大呼大喊：『生爲正直臣，死當作正直鬼！』

周新死了以後，成祖開始後悔了，他問身旁侍臣：『周新是那裡人？』

『南海。』

『想不到南海有這等人，朕是冤枉了他。』成祖言下不無懊惱。

又過了幾天，成祖竟然看到周新，穿著紅衣，直直地站在成祖面前，依然是冷面寒鐵的表情道：『臣周新已爲神，爲陛下治奸貪吏。』

成祖再定一定神，發現是自己的幻覺。怪只怪皇帝的權力無限，毫無轉圜的餘地，所以，成祖要周新死，周新不得不死。奈何成祖希望周新再活過來，卻是不可能的事。

這就是專制政權。

閱讀心得

【第759篇】

紀綱誣陷富豪。

前面，我們說到紀綱負責錦衣衛，卻大大破壞綱紀，老百姓不堪其擾，紀綱卻膽子愈來愈大。

他爲了試試自己的能耐，竟然數度頒下僞詔，向鹽場勒索四百餘萬元，鹽場明知其中有蹊蹺，也只好自認倒楣。紀綱食髓知味，又先後以皇帝的名義，騙了二十艘官船，四百輛牛車，好不過癮。

紀綱曾經勒索死刑犯，害得喪家不但家破人亡，並且家產耗盡，可是，死刑犯經常也都是苦哈哈，費了半天勁，油水有限。紀綱轉念一想，把苗頭對向全國首富之家，挨個兒剝皮。

紀綱的方法倒也簡單，通常是『某某招供，已經供出了「楊大」。』於是，一群差役擁入了楊宅，不由分說把楊大綁了走。事實上，楊大一聽說錦衣衛派人來了，上半身就這麼一軟，癱了過去。

從此以後，楊家日夜不得安寧，差役三天兩頭跑來找麻煩，每次來，先是責備，後是恐嚇，需索的花樣層出不窮，倘若索取不遂，立刻搬出威脅。

楊家既是有錢人，當然，立刻會包了金子，主動來請紀綱幫忙，紀綱總是故作好人狀：『我想想辦法。』沒多久，楊家已經在賣田了。

不說別的，楊家每天得花二十兩銀子，才能送得進牢飯，卻還不知是否能送到楊大手中。中國古代獄政之黑暗，眞是和地獄差不多的。

楊家由富戶跌入破落戶，最後，楊大還是死了，紀綱繼續下一個目標。如此這般，紀綱一連陷害了上百家富豪，也累積了極爲可觀的財富。

再下一步，紀綱居然想當皇帝。

中國人最羨慕當皇帝，大權在握，好不威風，紀綱自晉王、吳王那兒弄來了王冠王服，自己在家裡穿戴打扮起來，彷彿已是九五之尊的皇帝。

紀綱命令歌舞小童奏樂奉觴，自己就像平常的明成祖一般，板著臉高踞堂上，底下的人一遍又一遍高呼：『皇帝爺，萬歲，萬歲！』紀綱覺得五臟六腑，每個毛細孔，都有說不出的舒服，『假如我是眞的，該有多好。』

紀綱想著癡迷了，也彷彿認爲自己與皇帝一般，一切都該聽他的。

沒過多久，紀綱相中了一位女道士，成熟嫵媚，他正準備把女道士給買下來當小妾，豈料都督薛禄也看上了這位絕色佳人，竟然搶先一步捷足先登。

紀綱氣壞了，懊惱萬分，有一天，在宮裏遇到薛禄，他掄起拳頭，對準薛禄的腦袋狠狠一捶，薛禄護痛，蹲下身子，紀綱又用腳踢了薛禄的腦袋：『竟然敢跟我搶！』

紀綱本來力氣大，出手又重，薛禄頭給敲破了，差點兒命也沒了，礙於紀綱權高位重，氣也沒敢哼，家人忙著請名醫診治。

紀綱自從動了想當皇帝的念頭，白天想、夜裏想，朝朝暮暮都在想。

既然一下子當不成皇帝，不如先過個乾癮。

他找了數百良家子弟，把他們給閹了當宦官。於是，紀綱與皇帝一般，隨時有一批宦官長相左右。

接下來不久，成祖下詔選妃嬪，這些個由全國千挑萬選的佳麗們，一字排開，每人由兩名宮女照料掠鬢整髮，補脂添粉，個個都是豆蔻年華的小美女，嬌憨之中，不脫稚氣，的確惹人憐愛。

成祖操著手，笑嘻嘻地選了幾名絕色，吩咐下去：『等她們長大一點吧。』

成祖相中的，恰好也是紀綱暗暗喜歡的，尤其是一位姓李的江南佳麗，有一雙吊梢鳳眼，清秀小臉紅粉粉的，細緻動人。既然皇帝還要等她長大，紀綱就大膽地先享用了，旁邊的人嘖嘖稱奇，卻也沒有誰敢檢舉。

明朝著名首富沈萬三，我們曾經在前面介紹過，洪武年間籍沒。（所謂籍沒，指的是登錄其財物而沒收入官。）雖然籍沒，沈家畢竟家財萬貫，私下還偷偷藏了不少，沈萬三的兒子沈文度是個聰明人，他眼見紀綱逐一宰割富戶之家，想來想去難逃一劫，於是，沈文度帶了幾色厚禮，登門拜訪紀綱。紀綱逐一檢視他帶來的東西：黃金、龍角、龍文被……全是難得一見的寶貝，心中暗喜，故意問道：『你這是做什麼？』

沈文度機警地一下拜，誠惶誠恐道：『願拜在大人門下。』就是要紀綱收他為學生。

中國古代，師生關係是親近的。紀綱見沈文度尖嘴猴腮，油頭滑腦，收了這個學生也不錯。於是，沈文度正式拜在紀綱門下。

當然，沈文度自此以後，三不五時就要帶著新鮮玩意來孝敬老師。長久下來，沈家也是一筆沈重的開銷。

不過，沈文度也有沈文度的算盤，他打著紀綱的名號，學他老師的模樣，到處敲詐勒索，人人知道他後臺硬，也不敢得罪，一出一進，沈家反而比以前更有錢有勢。

有一回，師生見面，沈文度照例又獻上一批寶貨，紀綱好東西見多了，興趣大減，提不起勁道：『最近好沒意思，無聊極了。』

『是。』沈文度答了一聲。

『你怎麼不說話，莫非不懂我的意思。』

『學生懂！』沈文度慢吞吞地回答，『對了，聽說吳中女子，有不少明眸皓齒，雪膚花貌，而且擅長歌舞，若能尋覓一些，必能解悶。』

『那還不趕快辦？』紀綱不耐煩道。

紀綱既貪財又好色，多少人氣得背地裏罵，卻又沒可奈何。

閱讀心得

【第760篇】錦衣衛酷毒天下。

紀綱利用錦衣衛頭頭的身分，壞事做盡，殘害忠良，可是，明成祖始終對紀綱寵信有加，使得紀綱野心愈來愈大，想要除掉明成祖，乾脆自己當皇帝。

紀綱想到了古代『指鹿爲馬』的故事，他很好奇，若是有一天，他指著一頭鹿，硬說鹿是馬，大臣會怎麼說。若是朝廷也都附議，那就表示，大家不反對他來當皇帝。

機會來了，端午節快要到了，成祖照例要舉行射柳比賽。

射柳是源自鮮卑的一種尚武活動，鮮卑族在每年秋天舉行祭祀活動之前，要先植柳。同時，衆人騎著駿馬，環繞柳樹三圈；用箭射柳，這一習俗，後來又成爲遼朝、金朝王朝的一種儀式。

遼朝的『瑟瑟儀』其實是一種祭天求雨的禮儀。若是久旱不雨，遼朝朝廷就在郊外建築一座『百柱天棚』。儀式開始，皇帝先祭奠先王，然後，首先由皇帝張弓射箭，再交給親王、宰相，依官位順序射柳。遼朝人認爲，射完柳，老天應該就會下雨了。

金朝的射柳更爲有趣熱烈，他們先挑選直挺秀美的柳樹，用綁頭髮的頭巾繫在柳樹上當記號。並且把柳樹樹桿削了皮，露出青白色。

接著，鼓聲隆隆，好戲開鑼，誰要能張弓搭箭，射柳成功，又騎著快馬，剛好伸手接住折斷的柳樹，就是一等一的好手，成爲人們眼中的英雄。若是誰射中柳樹，卻沒本事剛巧接著，算是差一點。誰要是射柳都射不中，只好慚愧低下頭，不敢抬起眼睛見人。

到了明朝，射柳又有了新花樣，成爲消遣娛樂的一種方式。每逢清明、端午常有射柳活動，稱爲『剪柳』。

先將鴿子裝在葫蘆裡，懸掛在柳樹上面，凡是射中柳樹上的葫蘆，鴿子便拍翅而出，要是射得準，鴿子自然就飛出來得多，也帶來歡樂的氣息。

紀綱原是神射手，向來是射柳比賽中的風頭人物。但是，他在比賽之前對部下龐瑛說：『待會兒，我故意射不中，你呢就用力地一棵一棵搖柳樹，咱們公然作弊，看看其他人是什麼表情。』

龐瑛恭謹地點點頭：『遵命！』

比賽開始了，先是明成祖射柳，算是『開球』，沒多久，輪到紀綱，他屏氣凝神，故意射偏，龐瑛就絲毫不避諱地猛搖柳樹，葫蘆裡的鴿子『啪啪啪』一飛衝向天際。

眾人始則愕然，但是，誰也不敢出面糾正，反而不約而同拍起手來，臉上若無其事。

紀綱再射一箭，又是不中，又是龐瑛作弊，竟然還有人見鴿子飛出，高聲喝采叫好，眞是好個鬼。

紀綱一箭也沒射中，卻得了滿堂采，他眞是樂壞了，回到家裡，喝得醉醺醺，對他的『宦官』們說：『沒多久，你們就要正式入宮啦，看今天的情形，沒有誰敢爲難我。』

於是，紀綱糾集一些亡命之徒，並且積極打造武器，準備造反。不料紀府之中有人告密，明成祖豈能容得了此，紀綱就活活被磔死（磔是古代分屍的酷刑），家屬不分長幼發配邊疆，列罪狀頒示天下。

憑紀綱一個錦衣衛指揮使，爲什麼手握如此大的權力？竟然起了當皇帝的野心？

在中國歷史上，只有明朝一代，設置有錦衣衛，有加以介紹的必要。所謂錦衣衛，簡而言之，就是明朝的禁衛軍，本掌侍衛儀仗，後來，專門負責巡察緝捕，處理皇帝交下的詔獄，最高長官爲指揮使，常由功臣外戚充任，酷毒天下。

明代的兵制，自京師以至各郡縣，都設立衛所，此外，還有十二衛，是內廷親軍，皇帝的私人衛隊，直接受皇帝指揮，不隸屬於都督府。錦衣衛就是這十二衛中的一個，它最初的來源是朱元璋擔任吳王時所設立的拱衛司，一方面具有侍衛之責，一方面又擔負了掌管鹵簿儀仗的任務。

這兩樣任務都是緊緊貼近皇帝身邊的，必須要絕對地靠得住，必須是忠誠可靠的親信，所以錦衣衛雖然與其他各衛相同，都是皇帝的私人衛隊，但已進一步是貼身的衛隊了。

既然貼身衛隊要切實保護皇帝，他們必須時時外出，秘密調查，這些專司偵察的人稱爲『緹騎』，挑選沒有前科的民間壯丁擔任。這些緹騎人數，在明太祖時不過五百人左右，以後愈來愈多，在明世宗之前已達六萬人之多，其所造成的罪行，眞是不計其數。

緹騎既然直屬於皇帝，任何人他們都可以直接逮捕，不必經過法律手續。通常緹騎捉到人以後，並不立刻帶回，先找一個空廟祠宇，把逮到的人毒打一番，稱爲『打樁』。『打樁』之後，嫌犯受不住私刑之苦，總會想辦法打點打點，緹騎就靠這個，個個都發了橫財。

被抓來的人，一律送入錦衣獄，一走入這獄門，十之八九別想再出去。明朝人瞿式耜記載：『錦衣獄中魂飛湯火，慘毒難言，若是能送到刑部獄，則彷彿自地獄到了天堂。』

中國古代監獄一向恐怖，錦衣獄與一般監獄相比，刑部獄竟成天堂，可見錦衣獄是地獄中的地獄。

錦衣衛除了執行緝訪、逮捕、訊獄的任務，它還負責在廷杖時行杖和法司會審的任務。

廷杖是古代帝王在朝廷上杖打犯諫或忤旨的大臣，除了元朝，歷朝皇帝很少廷杖，朱元璋卻發揚光大，無論多大的官員，只要皇帝一不開心，就拖下去痛打一頓。打完了拖上來再打，若是打死了，拋出去便是。拿棍子打人的就是錦衣衛的校尉。

錦衣衛成立於明朝洪武十五年，一直到明亡爲止，共計二百六十年之久，可以說，與明朝一代相終始。

關於錦衣衛造成的故事，我們慢慢再談。

閱讀心得

【第761篇】

太監之名始於明成祖。

我們一般通稱宦官爲太監，有一部電影的片名就是『中國最後一個太監』。事實上，明成祖時代才開始有太監這個名稱。

在中國歷史上，一直有宦官的存在。唐朝的宦官，稱爲『中常侍』、『中尉』之類，以『中』爲名，或者是『內侍』、『內給事』以『內』爲名。明太祖洪武年間，多以『監正』、『監副』一類爲名。到了明成祖永樂年間，宦官一飛沖天，竟然以『太監』稱之。明朝人張志淳就曾不以爲然道：『天子之親，才能以太稱之，例如太子，現在中人（指宦官）竟然也稱之爲太，比起漢朝、唐朝、宋朝可是神氣多啦。』

再說，『太監』二字，其實，只是一個通名，在明朝，宦官可是有各種不同等級的，最高的一級才能稱爲太監，把一些稱爲『烏木牌』、『手巾』、『小大』之類管小事的宦官，也稱之爲太監，其實是抬舉他們了。

明朝宦官設在皇宮內的機關，主要是二十四個衙門，包括十二監、四局、八司，任務分得極細。例如『寶鈔司』，可不是印鈔票的，而是掌管製造粗的細的草紙，『混堂司』，則是掌管沐浴之事。

在二十四衙門之外，也有一些有趣的宦官職務名稱，例如『甜食房』——專門辦理虎眼、窩絲等甜食，例如『彈子房』專辦泥彈，用來讓皇宮

人員打著玩。

明太祖時代，爲了防範宦官專權，曾經下過一道禁令——『內監不得識字』，在他看來，若是文盲，可以減少不少宦官干政的機會，這種顧慮，顯然與『女子無才便是德』相類似。

到了明成祖永樂年間，這條禁令，已經沒什麼人再談論了，明成祖陰險毒狠，宦官在他身邊，也不敢現什麼花樣。不過，『內監不得識字』這個禁令，卻在無形之中打破了。

明成祖很寵范弘、王瑾、阮安、阮浪四個小太監。這四人都是張輔出征交趾時，帶回國的小男童，由於聰明伶俐，模樣清秀討喜，成祖就把他們淨了身，留在身旁伺候成祖，還找人教他四人讀書識字，幾年以後，這四個秀麗的太監，竟然都通文墨、能讀經史。

由於成祖有本事駕馭宦官，因此他不但恢復了太祖時代，曾經取消的錦衣衛，並且設立了東廠，專門偵探臣民的秘密與私事，偵探臣民有沒有反動思想和行動，成爲一種恐怖的特務機關。

東廠和錦衣衛一向是並稱的，雖然系統不一，但職務沒有什麼差別，不過，錦衣衛是偵察一切官民的，東廠除了偵察一切官民，還要偵察錦衣衛，同時，東廠的負責人一定是由宦官擔任。

東廠設在北京東安門北，所以稱之爲東廠。從永樂十八年，一直到明朝亡國，在這兒上演了一幕又一幕偵察、誣陷、屠殺的悲慘事件。

東廠是直屬皇帝的情報特務機關，除皇帝本人之外，其他所有人全在偵察之列。可見得當皇帝也是很辛苦的，除了自己，他沒有朋友，不敢相信任何人。

主持東廠的宦官，他的官銜是『欽差總督東廠官校辦事太監』，簡稱『提督東廠』，單單『欽差』二字，表示直接由皇帝指揮，凌駕在一切官吏之上，就夠神氣威風的。何況，另有欽賜的『密封』印章，不須經過任何手續，便可直達皇帝，這種權力，是那個衙門都比不上的。因此東廠的頭頭，人們尊之爲『督王』或者『廠公』。

廠公下面的『番子』又稱『幹事』，約有一千多人，個個頭戴尖帽，身著素青褷褶，繫小條，著白皮靴，全是自錦衣衛中挑選最爲『輕黠環巧』的厲害角色來擔任。

人們一看到這些穿白靴子的，背脊就發涼，把他們看成飢餓的老鷹。

當然，一千多個番子是不夠用的，他們這群包打聽，不但是某某反動這類大事要上報，何處失火、何處雷擊要上報，甚且還要報告京城裡雜糧、米、油之類的物價。

此外，番子還得搜集一些有趣的社會新聞，奇情異事，讓皇帝開開心，眞是任務繁雜。

所以，番子就會養一些小番子，作爲情報來源，這些個小番子，多半都是市井地痞流氓。

東廠加上錦衣衛，老百姓已經夠受了，如今，再來一些小流氓的準特務，那眞是苦不堪言。

流氓每每選中一家，做爲報仇或是騙財的對象，然後，與番子一塊闖入，又打又罵又要錢，打起人來，比官府還要痛十倍不止，稱之爲『乾醡酒』，假如拿不到錢，甚且拿到了錢，再讓番子往上報，倒楣鬼就只有死路一條了。

廠公上報告，比起一般文武百官，可是方便多了，中間不須經過層層關卡，就是三更半夜，東華門已經關了，他也可以自門縫裡面塞入。

東華門的守門宦官，看到蓋有『欽差總督東廠官校辦事太監』篆文的關防，片刻也不敢耽擱，趕緊呈給皇上。

對明成祖而言，三更半夜都能了解外邊大事，可以高枕無憂，偶爾看到報告中有令人發噱的新鮮事，哈哈一笑也挺樂的。至於其中造成多少冤獄，爲百姓帶來多少困擾，這，就不是專制皇帝考慮的事了。

閱讀心得

閱讀心得

閱讀心得

歷代・西元對照表

朝　　代	起迄時間
五帝	西元前2698年～西元前2184年
夏	西元前2183年～西元前1752年
商	西元前1751年～西元前1123年
西周	西元前1122年～西元前 771年
春秋戰國(東周)	西元前 770年～西元前 222年
秦	西元前 221年～西元前 207年
西漢	西元前 206年～西元 8年
新	西元 9年～西元 24年
東漢	西元 25年～西元 219年
魏(三國)	西元 220年～西元 264元
晉	西元 265年～西元 419年
南北朝	西元 420年～西元 588年
隋	西元 589年～西元 617年
唐	西元 618年～西元 906年
五代	西元 907年～西元 959年
北宋	西元 960年～西元 1126年
南宋	西元 1127年～西元 1276年
元	西元 1277年～西元 1367年
明	西元 1368年～西元 1643年
清	西元 1644年～西元 1911年
中華民國	西元 1912年

國家圖書館出版品預行編目資料

全新吳姐姐講歷史故事. 35. 明代/吳涵碧 著.
--初版.--臺北市；皇冠，1995〔民84〕
面；公分（皇冠叢書；第2392種）
ISBN 978-957-33-1176-8 （平裝）
1. 中國歷史

610.9 84000130

皇冠叢書第2392種
第三十五集【明代】

全新吳姐姐講歷史故事〔注音本〕

作　　者—吳涵碧
繪　　圖—劉建志
發 行 人—平雲
出版發行—皇冠文化出版有限公司
台北市敦化北路120巷50號
電話◎02-27168888
郵撥帳號◎15261516號
皇冠出版社(香港)有限公司
香港銅鑼灣道180號百樂商業中心
19字樓1903室
電話◎2529-1778　傳真◎2527-0904
印　　務—林佳燕
校　　對—皇冠校對組
著作完成日期—1992年01月01日
香港發行日期—1995年09月25日
初版一刷日期—1995年10月01日
初版三十二刷日期—2021年05月
法律顧問—王惠光律師

讀者服務傳真專線◎02-27150507
電腦編號◎350035
ISBN◎978-957-33-1176-8
Printed in Taiwan
本書定價◎新台幣150元/港幣45元